POISSONS
ET FRUITS DE MER

POL MARTIN

la presse

L'auteur tient à remercier
Josée Dugas pour sa précieuse
collaboration.

Éditeurs:
LES ÉDITIONS LA PRESSE, LTÉE
7, rue Saint-Jacques
Montréal H2Y 1K9

Conception graphique:
JEAN PROVENCHER

Photographies:
POL MARTIN

Tous droits réservés:
LES ÉDITIONS LA PRESSE, LTÉE
©Copyright, Ottawa, 1984

Dépôt légal:
BIBLIOTHÈQUE NATIONALE DU QUÉBEC
4ᵉ trimestre 1984

ISBN 2-89043-138-X

Sommaire

Introduction

Chers amis,

Le manque de connaissances sur la façon d'apprêter le poisson et les fruits de mer étant chose courante, surtout en Amérique du Nord, j'ai pensé écrire ce livre, accompagné de photos explicatives, à l'intention de ceux et celles qui désirent inclure ces aliments hautement nutritifs plus fréquemment dans leurs menus quotidiens mais ne savent pas toujours comment s'y prendre.
Pourtant, rien n'est plus simple ni plus rapide du fait que la chair du poisson et des fruits de mer demande très peu de cuisson. La plupart des recettes décrites dans les pages qui suivent en sont la preuve : des plats savoureux exécutés en très peu de temps.
Bonne chance à tous, sans oublier les amateurs de pêche !

Chef Pol Martin

Tableau des poissons et fruits de mer vendus sur

POISSONS ET FRUITS DE MER	FRAIS	CONSERVE	CONGELÉS	FUMÉS	SALÉS	MARINÉS
AIGLEFIN	X	X	X	X		
ALOSE	X					
ANCHOIS		X				
ANGUILLE	X		X			
BAR	X		X			
BIGORNEAUX	X		X			X
BROCHET	X		X			
CAPELAN			X	X		
CORÉGONE	X		X			
CRABE	X	X	X			
CREVETTES	X	X	X			
DORÉ	X		X			
ÉPERLAN	X		X			
ESTURGEON	X					
FLÉTAN	X		X			
HARENG	X		X	X	X	X
HOMARD	X	X	X			
HUÎTRES	X	X			X	X
LANGUE DE MORUE		X	X			

le marché canadien

POISSONS ET FRUITS DE MER	FRAIS	CONSERVE	CONGELÉS	FUMÉS	SALÉS	MARINÉS
MAQUEREAU	X	X	X			
MORUE	X		X	X	X	
MOULES	X	X		X		X
MULET	X		X			
OMBLE	X	X	X			
ORMEAU			X			
PALOURDES	X	X				X
PÉTONCLES	X		X			
PLIE (SOLE)	X		X			
POISSONS DES CHENAUX			X			
RAIE			X			
RASCASSE	X		X			
SARDINES	X	X			X	
SAUMON	X	X	X	X		
SÉBASTE (PERCHE DE MER)	X		X			
THON	X	X	X			
TRUITE DE LAC	X		X			
TURBOT	X		X		X	

Tableau des caractéristiques de la chair des poissons et des fruits de mer

MAIGRES	DEMI-GRAS	GRAS
Aiglefin Bar Bigorneaux Brochet Crabe Crevettes Doré Homard Huîtres Langoustines Morue Moules Ormeau Palourdes Pétoncles Plie (sole) Poissons des chenaux Rascasse Truite de lac	Capelan Corégone Éperlan Flétan Raie Sébaste Turbot	Alose Anguille Esturgeon Hareng Maquereau Omble Sardines Saumon Thon Truite de mer

Achat d'un poisson frais

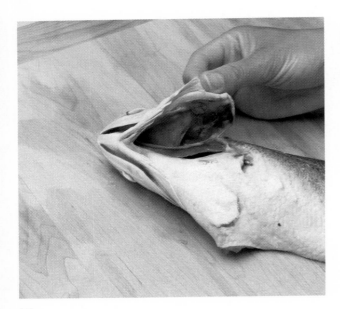

L'*oeil* doit être brillant, clair et saillant. Méfiez-vous d'un oeil enfoncé et terne.

Les *ouïes* doivent être rouges et non brunes et décolorées.

La *peau* doit être brillante et les écailles serrées.

La *chair* ferme et élastique.

L'*odeur* douce et non ammoniacale.

Tableau des modes de cuisson

POISSONS ET FRUITS DE MER	POCHÉS	FOUR	FRITS	GRILLÉS
Aiglefin	x	x	x	x
Alose	x	x		x
Anguille	x	x	x	x
Bar	x	x	x	
Bigorneaux	x			
Brochet	x	x	x	x
Capelan		x	x	
Corégone	x	x	x	x
Crabe	x	x		x
Crevettes	x		x	
Doré	x	x	x	x
Éperlan		x	x	x
Esturgeon	x	x	x	x
Flétan	x	x	x	x
Hareng	x	x	x	x
Homard	x	x		x
Huîtres	x	x	x	
Langue de morue	x	x	x	
Maquereau	x	x	x	x
Morue	x	x	x	x
Moules	x	x	x	
Mulet	x	x	x	x
Omble	x	x	x	x
Ormeau	x	x	x	x
Palourdes	x	x	x	
Pétoncles	x		x	x
Plie (sole)	x	x	x	
Poissons des chenaux	x		x	
Raie	x	x		x
Rascasse	x	x	x	x
Sardines		x		x
Saumon	x	x	x	x
Sébaste	x	x	x	x
Thon	x	x	x	x
Truite	x	x	x	x
Turbot	x	x		

Cuisson du homard

Le homard est pêché en grande quantité sur les côtes de la Nouvelle-Écosse, et se retrouve dans les meilleurs restaurants de Paris.

Lorsque vous achetez un homard, il faut le saisir par le dos pour éviter de se faire pincer et pour s'assurer qu'il est bien vivant.

Homards au court-bouillon

1	petit oignon émincé
1	poireau, le blanc seulement, émincé
	(facultatif)
1	carotte, pelée et émincée
4 à 5	queues de persil
15 mL	(1 c. à soupe) de vinaigre ou de jus de citron
2,5 L	(10 tasses) d'eau froide
	thym
	laurier
	poivre en grain, sel

Mettre tous les ingrédients dans une grande casserole et amener à ébullition.

Ajouter les homards et faire cuire à feu très moyen de 15 à 16 minutes.

La cuisson d'un homard de 680 g (1½ lb) est de 15 minutes

Retirer les homards du liquide chaud. Laisser refroidir.

Cuisson des crevettes

Technique

1 Mettre les crevettes dans une casserole contenant de l'eau froide citronnée.

2 Amener le tout à ébullition et retirer la casserole du feu. Laisser mijoter les crevettes dans le liquide chaud de 2 à 3 minutes.

3 Mettre les crevettes dans un bol et les placer sous l'eau froide pendant 15 minutes pour les refroidir et arrêter la cuisson.

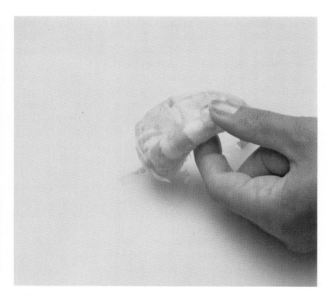

4 Avant de servir, retirer la carapace des crevettes.

5 A l'aide d'un petit couteau, retirer la veine.

Préparation du poisson

Technique

1 Écailler le poisson et bien le laver à l'eau froide.

2 Bien évider le poisson avec un couteau de cuisine.

5 Pour la cuisson au barbecue : inciser la peau du poisson, de façon à permettre à la marinade de bien imprégner la chair du poisson.

6 Pour la préparation de filets : insérer le couteau le long de l'arête centrale et détacher la chair délicatement en suivant les arêtes.

3   Couper les nageoires avec une paire de ciseaux.

4   Couper la queue.

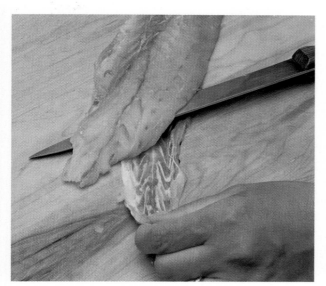

7   Placer le couteau entre la chair et la peau du filet. Tenir le poisson de la main gauche et s'assurer que la lame du couteau pointe vers la peau pour ne pas abîmer la chair.

8   Arroser le tout de jus de citron ou de limette.

Préparation des moules

Technique

1   À l'aide d'un petit couteau, couper la barbe des moules. Bien brosser et laver les moules sous l'eau froide.

2   Placer les moules dans une casserole ;
ajouter : 250 mL (1 tasse) d'eau ;
15 mL (1 c. à soupe) de beurre ;
2 queues de persil ;
jus de ½ citron et le ½ citron ;
couvrir et amener à ébullition.

3   Après 3 minutes d'ébullition, les moules s'ouvrent.

4   Retirer les moules de la casserole et passer le jus à travers un coton à fromage. On peut utiliser le jus pour une sauce.

Pour ouvrir les palourdes

Technique

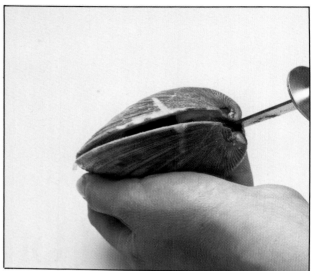

1 A l'aide d'un couteau à huître, forcer la charnière de la palourde et couper la membrane qui retient l'écaille.

2 Présentation de la palourde.

Potages
et soupes

Soupe aux palourdes de la Nouvelle-Angleterre

(pour 4 personnes)

36	palourdes
1 L	(4 tasses) d'eau froide
114 g	(¼ lb) de porc salé, coupé en dés
1	oignon haché
4	pommes de terre, pelées et coupées en dés
250 mL	(1 tasse) de crème épaisse à la française*, chaude
250 mL	(1 tasse) de lait chaud
	persil haché
	sel et poivre

Laver, brosser et placer les palourdes dans une casserole. Poivrer, ajouter l'eau et amener le liquide à ébullition; faire cuire à feu très doux de 3 à 4 minutes pour faire ouvrir les palourdes.

Retirer les palourdes de la casserole. A l'aide d'un petit couteau, retirer le mollusque de l'écaille. Mettre de côté.

Passer le liquide de cuisson au travers un coton à fromage.

Faire cuire l'oignon et le porc dans une petite casserole, à feu doux, de 4 à 5 minutes.

Ajouter le liquide de cuisson et les pommes de terre; faire bouillir doucement de 8 à 10 minutes pour permettre aux pommes de terre de cuire.

Ajouter le lait et la crème; remuer le tout.

Hacher les palourdes et les ajouter à la soupe; assaisonner au goût et faire mijoter de 4 à 5 minutes.

Parsemer le tout de persil haché. Servir.

* La crème épaisse à la française ne se trouvant pas dans tous les magasins d'alimentation, on peut la remplacer par de la crème à 35%.

Crème de rascasse

(pour 4 personnes)

60 mL	(4 c. à soupe) de beurre
1	oignon haché
1	poireau, le blanc seulement, lavé et émincé
1	poisson rascasse, en filets
4	grosses pommes de terre, pelées et émincées
15 mL	(1 c. à soupe) de persil haché
1,2 L	(5 tasses) de bouillon de poisson
125 mL	(½ tasse) de crème épaisse à la française*
	jus de citron
	sel et poivre

Faire fondre le beurre dans une grande casserole. Ajouter l'oignon et le poireau; couvrir et faire cuire à feu doux de 4 à 5 minutes.

Ajouter le poisson, les pommes de terre, le persil et le bouillon de poisson. Assaisonner au goût; amener à ébullition. Réduire la chaleur de l'élément, couvrir partiellement et continuer la cuisson à feu doux pendant 35 minutes.

Dès que la soupe est cuite, la passer au moulin à légumes.

Remettre la soupe dans une casserole. Ajouter la crème; faire mijoter 3 minutes.

Arroser le tout de jus de citron. Servir.

*Disponible dans certaines épiceries.

Soupe à la rascasse

(pour 4 personnes)

Ce poisson a une chair très coriace, il est donc préférable de l'utiliser pour les soupes.

30 mL	(2 c. à soupe) d'huile d'olive
1	gousse d'ail, écrasée et hachée
1	gros oignon haché
1	poireau, le blanc seulement, lavé et émincé
4	tomates, pelées et hachées, ou 1 petite boîte de tomates concassées
2	rascasses, nettoyées et coupées en morceaux
250 mL	(1 tasse) de vin blanc sec
1,2 L	(5 tasses) d'eau ou de bouillon de poisson
3	pommes de terre, pelées et coupées en 4
	une pincée de safran
	sel et poivre

Faire chauffer l'huile dans une grande casserole à feu moyen. Ajouter l'oignon, l'ail et le poireau; faire cuire 4 minutes.

Ajouter les tomates, le poisson, le vin blanc et le safran; faire cuire à feu doux de 3 à 4 minutes.

Ajouter l'eau; faire cuire à feu doux pendant 35 minutes. Saler, poivrer.

Vingt minutes avant la fin de la cuisson, ajouter les pommes de terre.

Servir avec du persil haché.

Note: Attention aux arêtes.

Soupe aux huîtres

(pour 4 personnes)

30 mL	(2 c. à soupe) de beurre
45 mL	(3 c. à soupe) de farine
500 mL	(2 tasses) de lait chaud
30 mL	(2 c. à soupe) d'oignon finement haché
15 mL	(1 c. à soupe) de persil haché
375 mL	(1½ tasse) d'huîtres en vrac
125 mL	(½ tasse) d'eau
	quelques gouttes de jus de citron
	paprika
	sel et poivre

Mettre les huîtres dans une petite casserole. Ajouter l'eau et quelques gouttes de jus de citron; saler et poivrer et faite mijoter à feu très doux de 3 à 4 minutes. Mettre de côté.

Faire fondre le beurre dans une casserole. Ajouter l'oignon et faire cuire pendant 2 minutes.

Ajouter la farine, mélanger et continuer la cuisson à feu doux pendant 2 minutes.

Ajouter le lait chaud et bien remuer le tout.

Ajouter le jus de cuisson des huîtres et le persil. Saupoudrer le tout de paprika et faire mijoter de 3 à 4 minutes.

Ajouter les huîtres, remuer et servir.

Bisque d'huîtres

Bisque d'huîtres

(pour 4 personnes)

60 mL	(4 c. à soupe) de beurre
1	oignon finement haché
60 mL	(4 c. à soupe) de farine
375 mL	(1½ tasse) d'huîtres en vrac
750 mL	(3 tasses) d'eau froide
1 mL	(¼ c. à thé) de fenouil
15 mL	(1 c. à soupe) de persil haché
125 mL	(½ tasse) de crème épaisse à la française *
	quelques gouttes de jus de citron
	paprika
	sel et poivre

Faire fondre le beurre dans une casserole. Ajouter l'oignon et faire cuire pendant 2 minutes.

Ajouter les huîtres, couvrir et les faire pocher de 3 à 4 minutes.

Dès que les huîtres sont cuites, les retirer et les mettre de côté.

Ajouter la farine dans la casserole; bien mélanger et faire cuire de 2 à 3 minutes.

Ajouter l'eau et remuer le tout.

Ajouter le fenouil et le persil; amener le liquide à ébullition.

Hacher les huîtres et les incorporer au bouillon.

Verser la crème et faire mijoter le tout de 7 à 8 minutes. Arroser de jus de citron.

Rectifier l'assaisonnement et servir avec des rondelles de citron et saupoudrer de paprika.

*Disponible dans certaines épiceries.

Soupe aux huîtres et à la crème

(pour 4 personnes)

500 mL	(2 tasses) d'huîtres en vrac
500 mL	(2 tasses) de lait chaud
500 mL	(2 tasses) de crème épaisse à la française *
30 mL	(2 c. à soupe) de beurre
15 mL	(1 c. à soupe) de persil frais haché
	quelques gouttes de jus de citron
	paprika
	sel et poivre

Mettre les huîtres dans une petite casserole; couvrir et faire mijoter de 4 à 5 minutes, ou jusqu'à ce que les huîtres commencent à gonfler. Retirer du feu et mettre de côté.

Verser le lait et la crème dans une casserole, saler et poivrer le tout. Ajouter le beurre et le persil; amener au point d'ébullition et retirer du feu.

Ajouter les huîtres pochées et le jus de cuisson; faire mijoter les huîtres dans le liquide chaud de 2 à 3 minutes, hors du feu. Saupoudrer de paprika.

Arroser de jus de citron et servir avec des biscuits.

*Disponible dans certaines épiceries.

Soupe au turbot

Soupe au turbot

(pour 4 personnes)

3		tranches de bacon, coupées en dés
1		oignon haché
1		boîte de tomates de 796 mL (28 onces), égouttées et hachées
30	mL	(2 c. à soupe) de pâte de tomates
1	L	(4 tasses) d'eau froide
5	mL	(1 c. à thé) de sauce Worcestershire
1		gousse d'ail, écrasée et hachée
15	mL	(1 c. à soupe) de persil haché
1	mL	(¼ c. à thé) de fenouil
454	g	(1 livre) de turbot, coupé en morceaux de 2,5 cm (1 po)
		quelques gouttes de jus de citron
		sel et poivre

Faire cuire le bacon de 2 à 3 minutes dans une casserole à feu moyen. Ajouter l'oignon et prolonger la cuisson de 3 à 4 minutes.

Ajouter tous les autres ingrédients, sauf le poisson; saler, poivrer et faire cuire de 10 à 12 minutes.

Ajouter le poisson et continuer la cuisson, à feu doux, de 7 à 8 minutes.

Servir avec des croûtons.

Technique

1 Faire cuire le bacon dans une casserole à feu moyen. Ajouter l'oignon; faire cuire 3 à 4 minutes.

2 Ajouter les tomates, la pâte de tomates et l'eau.

→

Technique de la soupe au turbot (suite)

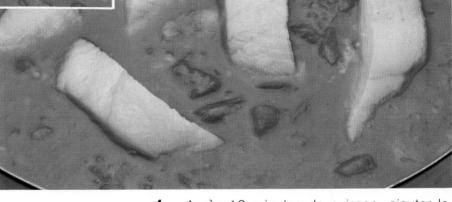

3 Ajouter le persil, l'ail et le reste des ingrédients, sauf le poisson.

4 Après 12 minutes de cuisson, ajouter le poisson.

Fond ou bouillon de poisson

Méthode rapide

15 mL	(1 c. à soupe) de beurre
1	oignon, émincé
1	branche de céleri, émincée
1	carotte, émincée
226,8 g	(½ lb) de filets de sole
1,5 à 2 L	(6 à 8 tasses) d'eau froide
2 mL	(½ c. à thé) de fenouil
1	feuille de laurier
3	queues de persil
	sel et poivre

Faire chauffer le beurre dans une casserole, à feu doux. Ajouter les légumes, couvrir et faire cuire de 3 à 4 minutes.

Ajouter le poisson et le reste des ingrédients; amener à ébullition, saler, poivrer et faire mijoter pendant 15 minutes.

Passer le tout au tamis.

Conserver le fond de poisson au réfrigérateur.

Note: On l'utilise pour la préparation des sauces accommodant le poisson, les coquilles Saint-Jacques, pour pocher le poisson, etc.

Soupe au crabe

(pour 4 personnes)

1	boîte de chair de crabe, décongelée
2	échalotes hachées
2	oeufs durs hachés
75 mL	(5 c. à soupe) de beurre doux
60 mL	(4 c. à soupe) de farine
1 L	(4 tasses) de lait chaud
15 mL	(1 c. à soupe) de persil haché
1 mL	(¼ c. à thé) de muscade
5 mL	(1 c. à thé) de sauce Worcestershire
	une pincée de fenouil
	jus de citron
	sel et poivre blanc

Hacher grossièrement la chair de crabe et bien l'égoutter.

Mettre la chair de crabe dans une casserole. Ajouter 15 mL (1 c. à soupe) de beurre et quelques gouttes de jus de citron. Faire mijoter le tout, à feu très doux, pendant quelques minutes.

Faire fondre le reste du beurre dans une casserole. Ajouter les échalotes; faire cuire 2 minutes.

Ajouter la farine, mélanger et continuer la cuisson pendant 2 minutes.

Ajouter le lait chaud, le persil, la muscade, la sauce Worcestershire, le fenouil, le sel et le poivre; mélanger le tout.

Amener le liquide à ébullition et faire cuire de 6 à 8 minutes.

Ajouter la chair de crabe et les oeufs hachés; mélanger et faire mijoter à feu très doux de 4 à 5 minutes. Servir.

Soupe aux crevettes

(pour 4 personnes)

45 mL	(3 c. à soupe) de beurre
15 mL	(1 c. à soupe) d'oignon haché
45 mL	(3 c. à soupe) de farine
1 L	(4 tasses) de bouillon de poisson chaud
50 mL	(¼ tasse) de crème épaisse à la française*
454 g	(1 lb) de crevettes de Sept-Îles, décortiquées et hachées
1 mL	(¼ c. à thé) de fenouil
	quelques gouttes de jus de citron
	sel et poivre
	croûtons de pain, grillés

Faire fondre le beurre dans une casserole. Ajouter les oignons et les faire cuire pendant 2 minutes.

Ajouter la farine, mélanger et faire cuire le tout à feu très doux de 2 à 3 minutes.

Ajouter le bouillon de poisson; amener à ébulliton et faire cuire à feu doux de 10 à 12 minutes.

Ajouter la crème et les crevettes; remuer le tout.

Ajouter le fenouil et faire mijoter à feu très doux de 7 à 8 minutes. Rectifier l'assaisonnement.

Servir avec des croûtons.

*Disponible dans certaines épiceries.

Entrées

Délices de crabe

Délices de crabe

(pour 4 personnes)

Préparation de la sauce hollandaise

3		jaunes d'oeufs
30	mL	(2 c. à soupe) d'eau froide
5	mL	(1 c. à thé) de vinaigre à l'estragon
175	mL	(¾ tasse) de beurre clarifié
		jus de citron
		sel et poivre

Mettre les jaunes d'oeufs dans un bol en acier inoxydable. Ajouter le vinaigre, le poivre et l'eau; mélanger le tout avec un fouet métallique.

Placer le bol dans une casserole contenant de l'eau chaude* et continuer de battre avec le fouet jusqu'à épaississement du mélange.

Ajouter le beurre clarifié, en filet, tout en mélangeant constamment avec le fouet métallique.

Assaisonner la sauce au goût. Arroser de quelques gouttes de jus de citron. Mettre de côté.

*Attention, l'eau de la casserole ne doit pas bouillir.

Préparation du crabe

4		tranches de pain, grillées
30	mL	(2 c. à soupe) de beurre
45	mL	(3 c. à soupe) d'échalotes hachées
15	mL	(1 c. à soupe) de ciboulette hachée
1		boîte de chair de crabe congelée
50	mL	(¼ tasse) de sherry
375	mL	(1½ tasse) de sauce hollandaise (à défaut, on peut utiliser une sauce blanche au fromage)
		sel et poivre
		paprika

Préchauffer le four à 200°C (400°F).

Faire décongeler la chair de crabe et l'égoutter.

Faire fondre le beurre dans une casserole à feu moyen. Ajouter les échalotes et la ciboulette; faire cuire le tout pendant 2 minutes.

Ajouter la chair de crabe; saler, poivrer et bien mélanger le tout. Faire cuire à feu doux pendant 3 minutes.

Ajouter le sherry et continuer la cuisson de 2 à 3 minutes.

Placer les tranches de pain dans un plat allant au four. Étendre le mélange de crabe sur le pain et recouvrir le tout de sauce hollandaise. Saupoudrer de paprika.

Faire dorer au four sous le gril (broil) pendant 3 minutes*.

Servir avec des rondelles de citron.

*Attention, car la hollandaise gratine très vite.

Capelans frits

(pour 4 personnes)

16		capelans frais, nettoyés
75	mL	(5 c. à soupe) de saindoux
15	mL	(1 c. à soupe) de beurre
375	mL	(1½ tasse) de farine
		jus de citron
		sel et poivre

Laver les capelans à grande eau et les assécher avec du papier essuie-tout.

Saler et poivrer généreusement les capelans et les enfariner.

Faire fondre le beurre et le saindoux dans une poêle à frire à feu moyen. Ajouter les capelans et les faire cuire 3 minutes de chaque côté pour bien les dorer.

Servir avec du jus de citron.

Kiwis farcis au crabe

Kiwis farcis au crabe

(pour 4 personnes)

1	branche de céleri, hachée
4	kiwis mûrs
350 g	(¾ lb) de chair de crabe cuite, hachée
1	pomme pelée, évidée et hachée
6	champignons blancs, lavés et finement hachés
15 mL	(1 c. à soupe) de moutarde de Dijon
60 mL	(4 c. à soupe) de mayonnaise
	quelques gouttes de jus de citron
	quelques gouttes de Tabasco
	persil haché
	sel et poivre

Couper les kiwis en deux dans le sens de la longueur sans retirer la peau.

A l'aide d'un petit couteau de cuisine, retirer une petite quantité de la chair des kiwis et la hacher.

Mettre la chair des kiwis hachée dans un bol. Ajouter les pommes, le céleri et les champignons. Saler et poivrer.

Mélanger la moutarde et la mayonnaise. Incorporer le mélange à la chair des kiwis: mélanger le tout délicatement.

Ajouter tous les autres ingrédients. Assaisonner au goût.

Farcir les demi-kiwis. Servir.

Anguille au vin blanc

(pour 4 personnes)

907 g	(2 lb) d'anguille
50 mL	(¼ tasse) de beurre
250 mL	(1 tasse) de petits oignons blancs
2	gousses d'ail, écrasées et hachées
1	échalote hachée
15 mL	(1 c. à soupe) de persil haché
250 mL	(1 tasse) de vin blanc sec
250 mL	(1 tasse) de bouillon de poisson chaud
15 mL	(1 c. à soupe) de fécule de maïs
45 mL	(3 c. à soupe) d'eau froide
	jus de citron
	sel et poivre

Retirer la peau et la tête de l'anguille; évider et laver.

Couper l'anguille en tronçons de 2,5 cm (1 po) de longueur. Saler, poivrer et arroser le tout de jus de citron.

Faire fondre le beurre dans une sauteuse. Ajouter les petits oignons, l'ail et les échalotes; faire cuire de 3 à 4 minutes.

Ajouter les tronçons d'anguille et le persil; mélanger et faire cuire 2 ou 3 minutes.

Ajouter le vin blanc et le bouillon de poisson; amener à ébullition et laisser mijoter à feu doux pendant 30 minutes.

Mélanger la fécule de maïs et l'eau froide. Incorporer le mélange à la sauce. Rectifier l'assaisonnement.

Servir avec du persil frais.

Crevettes pochées au poivre

(pour 4 personnes)

680	g	(1 ½ lb) de crevettes
500	mL	(2 tasses) d'eau froide
45	mL	(3 c. à soupe) de poivre noir moulu
		jus de ½ citron

Mettre les crevettes dans une petite casserole. Ajouter le poivre noir; mélanger le tout.

Ajouter le jus de citron et l'eau froide; amener à ébullition.

Dès que le liquide commence à bouillir, retirer la casserole du feu. Laisser mijoter les crevettes dans le liquide chaud de 2 à 3 minutes, hors du feu.

Retirer les crevettes.

Servir avec du jus de citron.

Cocktail de crevettes
(pour 4 personnes)

24		crevettes de grosseur moyenne
		jus de citron
		sel

Placer les crevettes dans une petite casserole contenant de l'eau froide salée et citronnée. Amener à ébullition et remuer les crevettes 1 fois pendant la cuisson.

Dès que le liquide commence à bouillir, retirer immédiatement la casserole du feu et la placer sous l'eau froide 2 à 3 minutes pour arrêter la cuisson.

Décortiquer les crevettes et à l'aide d'un petit couteau, retirer la veine noire.

Garnir des coupes de feuilles de laitue et y placer les crevettes.

Servir avec la sauce.

Préparation de la sauce

175	mL	(¾ tasse) de ketchup
50	mL	(¼ tasse) de sauce chili
5	mL	(1 c. à thé) de raifort
		quelques gouttes de sauce Worcestershire
		quelques gouttes de sauce Tabasco
		jus de citron

Mélanger tous les ingrédients dans un petit bol. Servir avec les crevettes.

Pain français aux crevettes

Placer les tranches de pain sur une plaque à biscuits et les parsemer de crevettes et de fromage râpé. Poivrer généreusement. Saupoudrer de paprika.

Faire griller au four sous le gril (broil) à 15 cm (6 po) de l'élément supérieur.

Couper les tranches en 3 ou 4 parties. Servir.

Crevettes à la grande friture

(pour 4 personnes)

250	mL	(1 tasse) de farine tout usage
1	mL	(¼ c. à thé) de muscade
5	mL	(1 c. à thé) de poudre à pâte
1		œuf battu
250	mL	(1 tasse) de bière
680	g	(1 ½ lb) de crevettes, décortiquées et asséchées
		une pincée de sel
		poivre du moulin

Huile d'arachide pour la friture, chauffée à 180°C (350°F).

Tamiser la farine, le sel, la poudre à pâte et la muscade dans un bol.

Ajouter l'oeuf et la bière; mélanger le tout avec un fouet métallique.

Saler, poivrer les crevettes et les tremper dans la pâte.

Plonger les crevettes dans la friture de 2 à 3 minutes.

Servir avec des rondelles de citron ou une sauce aux prunes.

(pour 4 personnes)

8		tranches de pain français
3		oeufs battus
125	mL	(½ tasse) de lait
454	g	(1 lb) de petites crevettes, cuites, décortiquées et bien égouttées
125	mL	(½ tasse) de fromage parmesan râpé
50	mL	(¼ tasse) de beurre clarifié
		paprika
		sel et poivre

Préchauffer le four à 200°C (400°F).

Mélanger les oeufs battus, le sel et le lait dans un bol. Tremper les tranches de pain dans le mélange.

Faire chauffer la moitié du beurre clarifié dans une poêle à frire. Faire saisir les tranches de pain des deux côtés dans le beurre chaud.

Friture d'huîtres
(pour 4 personnes)

375	mL	(1½ tasse) d'huîtres en vrac, égouttées
250	mL	(1 tasse) de farine
15	mL	(1 c. à soupe) de poudre à pâte
3		gros oeufs (ou 4 petits)
5	mL	(1 c. à thé) d'huile d'olive
		sel et poivre

Faire chauffer l'huile pour la friture à 180°C (350°F).

Tamiser la farine, le sel et la poudre à pâte dans un bol.

Mélanger l'huile d'olive et les oeufs dans un bol avec un fouet métallique.

Ajouter le mélange de farine dans les oeufs et bien mélanger le tout. Poivrer.

Tremper les huîtres dans la pâte et les plonger dans l'huile chaude pendant 2 minutes.

Servir.

Coquilles d'huîtres à la provençale
(pour 4 personnes)

30	mL	(2 c. à soupe) d'huile
2		échalotes hachées
15	mL	(1 c. à soupe) de persil haché
1		gousse d'ail, écrasée et hachée
3		tomates, pelées et hachées
15	mL	(1 c. à soupe) de pâte de tomates
375	mL	(1½ tasse) d'huîtres en vrac
50	mL	(¼ tasse) d'eau froide
30	mL	(2 c. à soupe) de grosse chapelure
		quelques gouttes de jus de citron
		sel et poivre
		une pincée d'origan

Préchauffer le four à 200°C (400°F).

Mettre les huîtres et leur jus dans une petite casserole. Ajouter quelques gouttes de jus de citron et l'eau; couvrir et amener le liquide à ébullition.

Retirer la casserole du feu et laisser mijoter les huîtres dans le liquide chaud pendant 2 minutes. Mettre de côté.

Faire chauffer l'huile dans une sauteuse à feu moyen. Ajouter les échalotes, le persil et l'ail; mélanger et faire cuire le tout pendant 2 minutes.

Ajouter les tomates hachées, saler, poivrer; ajouter la pâte de tomates et l'origan. Mélanger et faire cuire le tout de 7 à 8 minutes.

Retirer la sauteuse du feu. Ajouter les huîtres et la moitié de leur liquide; remuer le tout.

Verser le mélange dans des coquilles et les saupoudrer de chapelure.

Faire dorer le tout au four sous le gril (broil) pendant 3 minutes. Servir.

Coquilles d'huîtres au bacon

(pour 4 personnes)

375	mL	(1 ½ tasse) d'huîtres en vrac
30	mL	(2 c. à soupe) de beurre doux
8		tranches de bacon cuites, hachées
4		échalotes hachées
15	mL	(1 c. à soupe) de ciboulette hachée
1		piment rouge doux haché
125	mL	(½ tasse) de chapelure fraîche
		quelque gouttes de sauce Worcestershire
		quelques gouttes de sauce Tabasco
		jus de citron
		sel et poivre

Préchauffer le four à 220°C (425°F).

Faire fondre le beurre dans une sauteuse à feu moyen. Ajouter le bacon, les échalotes, la ciboulette et le piment; faire cuire pendant 2 minutes.

Ajouter les huîtres, la sauce Worcestershire, le jus de citron et la sauce Tabasco; mélanger et faire cuire pendant 2 minutes.

Placer le mélange dans des coquilles et parsemer le tout de chapelure.

Faire cuire au four sous le gril (broil) de 3 à 4 minutes.

Garnir d'une rondelle de citron. Servir.

Huîtres à la crème et au sherry

(pour 4 personnes)

375	mL	(1 ½ tasse) d'huîtres en vrac
50	mL	(¼ tasse) d'eau froide
500	mL	(2 tasses) de lait chaud
30	mL	(2 c. à soupe) de beurre
30	mL	(2 c. à soupe) de farine
15	mL	(1 c. à soupe) de persil haché
15	mL	(1 c. à soupe) de sherry
50	mL	(¼ tasse) de crème épaisse à la française*
		quelques gouttes de jus de citron
		paprika
		sel et poivre

Mettre les huîtres et leur jus dans une petite casserole. Ajouter l'eau et quelques gouttes de jus de citron; couvrir et amener le liquide à ébullition.

Retirer la casserole du feu. Laisser les huîtres refroidir dans le liquide de cuisson.

Verser le lait dans une casserole et l'amener au point d'ébullition. (Le lait ne doit pas bouillir.)

Mélanger la farine et le beurre dans un bol avec une cuillère en bois. Incorporer le mélange au lait.

Verser la crème et laisser mijoter le tout pendant 2 minutes.

Ajouter le persil, le paprika et le sherry. Assaisonner au goût. Ajouter les huîtres et le liquide de cuisson.

Servir avec des biscuits soda.

* La crème épaisse à la française ne se trouvant pas dans tous les magasins d'alimentation, on peut la remplacer par de la crème à 35%.

Huîtres en vrac

Huîtres en vrac à la vapeur

(pour 4 personnes)

375	mL	(1 ½ tasse) d'huîtres en vrac
15	mL	(1 c. à soupe) de persil haché
45	mL	(3 c. à soupe) de beurre doux
		jus de citron
		sel et poivre

Laver les huîtres et les placer dans une passoire.

Mettre la passoire dans une casserole contenant de l'eau bouillante; couvrir et faire cuire à la vapeur pendant 3 minutes.

Mélanger les huîtres et les mettre dans des assiettes. Ajouter un morceau de beurre et parsemer le tout de persil haché.

Arroser les huîtres de jus de citron. Servir.

Huîtres cuites sous le gril

(pour 4 personnes)

375	mL	(1 ½ tasse) d'huîtres en vrac, égouttées
125	mL	(½ tasse) de beurre fondu
250	mL	(1 tasse) de chapelure de biscuits soda
		sel et poivre de Cayenne

Mettre les huîtres dans un bol. Saler, poivrer généreusement et les arroser de beurre fondu; mélanger le tout.

Rouler les huîtres dans la chapelure et les placer sur une plaque à biscuits.

Faire cuire au four sous le gril (broil), à 15 cm (6 po) de l'élément supérieur, pendant 4 minutes. Retourner les huîtres une fois pendant la cuisson.

Servir avec du citron.

Huîtres Rockefeller*

(pour 4 personnes)

*Méthode différente de la méthode conventionnelle.

15	mL	(1 c. à soupe) de Pernod
24		huîtres sur écaille
45	mL	(3 c. à soupe) de beurre doux
300	mL	(1 ¼ tasse) d'épinards, cuits à la vapeur et hachés
30	mL	(2 c. à soupe) d'échalotes hachées
15	mL	(1 c. à soupe) de pâte d'anchois
15	mL	(1 c. à soupe) de fenouil frais haché (si possible) OU une pincée de fenouil séché
50	mL	(¼ tasse) de chapelure fraîche
		quelques gouttes de sauce Worcestershire
		quelques gouttes de jus de citron
		sel et poivre

→

Huîtres Rockfeller (suite)

Tarte aux huîtres
(pour 6 personnes)

Préchauffer le four à 190°C (375°F).

Ouvrir les huîtres à l'aide d'un couteau à huître et en retirer les mollusques et leur jus. Mettre le tout dans un bol.

Arroser les huîtres de jus de citron et de sauce Worcestershire ; laisser mariner de 7 à 8 minutes.

Faire fondre le beurre dans une petite casserole. Ajouter les échalotes et le Pernod ; faire cuire 2 minutes.

Ajouter les épinards, la pâte d'anchois et les épices ; bien mélanger le tout.

Ajouter le liquide des huîtres et faire cuire de 4 à 5 minutes.

Placer une huître sur chaque écaille et les recouvrir avec la purée d'épinards. Parsemer le tout de chapelure.

Faire cuire au four de 4 à 5 minutes. Servir.

Pour cette recette, utilisez de la pâte feuilletée du commerce.

Préparation de la pâte

a) Foncer un moule à tarte de 20 cm (8 po) avec une abaisse de pâte. Piquer le fond avec une fourchette et y placer quelques haricots secs pour empêcher la pâte de gonfler pendant la cuisson.

b) Rouler et découper une seconde abaisse de pâte de la grandeur du moule à tarte et la badigeonner d'oeuf battu. Placer la seconde abaisse sur une plaque à biscuits.

c) Faire cuire le fond de tarte et la seconde abaisse, dans un four préchauffé à 190°C (375°F), pendant 15 minutes.

d) Retirer les haricots secs du fond de tarte après la cuisson.

Préparation de la garniture

50	mL	(¼ tasse) d'eau froide
375	mL	(1 ½ tasse) d'huîtres en vrac
30	mL	(2 c. à soupe) de beurre
45	mL	(3 c. à soupe) d'oignon haché
45	mL	(3 c. à soupe) de céleri haché
25		champignons frais, lavés et coupés en dés
45	mL	(3 c. à soupe) de farine
375	mL	(1 ½ tasse) de lait chaud
1	mL	(¼ c. à thé) de muscade
50	mL	(¼ tasse) de crème épaisse à la française*
		une pincée de macis
		quelques gouttes de jus de citron
		sel et poivre

Tarte aux huîtres (suite)

Faire fondre le beurre dans une casserole à feu moyen. Ajouter l'oignon et le céleri; couvrir et faire cuire pendant 3 minutes.

Ajouter les champignons; faire cuire 3 minutes. Ajouter la farine, mélanger et faire cuire pendant 2 minutes.

Ajouter le lait, la crème et les épices. Assaisonner au goût et continuer la cuisson pendant 3 minutes à feu doux.

Mettre les huîtres et leur jus dans une petite casserole. Ajouter l'eau et quelques gouttes de jus de citron; amener le liquide à ébullition.

Retirer la casserole du feu et laisser refroidir les huîtres dans le liquide chaud de 3 à 4 minutes.

Ajouter délicatement les huîtres et le liquide de cuisson à la sauce; remuer le tout.

Verser le mélange dans le fond de tarte cuit. Placer la seconde abaisse de pâte sur la tarte et mettre le tout au four de 4 à 5 minutes. Servir.

*Disponible dans certaines épiceries.

Moules au vermouth

(pour 4 personnes)

4	kg	(8½ lb) de moules, lavées, brossées et la barbe retirée*
45	mL	(3 c. à soupe) de beurre
1		oignon haché
2		échalotes hachées
30	mL	(2 c. à soupe) de persil haché
125	mL	(½ tasse) de vermouth sec
250	mL	(1 tasse) de crème épaisse à la française**
		quelques gouttes de jus de citron
		sel et poivre

Faire fondre le beurre dans une grande sauteuse. Ajouter les oignons, les échalotes et le persil; faire cuire 1 minute.

Ajouter les moules, saler et poivrer; couvrir et faire cuire à feu doux pour permettre aux moules de s'ouvrir.

Dès que les moules sont ouvertes, retirer les moules, les égoutter et les mettre de côté. Ajouter le vermouth au liquide de cuisson; faire mijoter 5 minutes. Passer le jus au travers d'un tamis et remettre dans la casserole.

Verser la crème et continuer la cuisson 4 à 5 minutes.

Remettre les moules dans la sauce. Arroser le tout de quelques gouttes de jus de citron; faire mijoter 3 minutes. Servir.

*Pour réussir cette recette, il est important de bien laver les moules.

**Disponible dans certaines épices.

Filets de doré marinés

Filets de doré marinés

(pour 6 personnes)

4		filets de doré
50	mL	(¼ tasse) d'huile d'olive
15	mL	(1 c. à soupe) de vinaigre de vin
1	mL	(¼ c. à thé) de fenouil
		une pincée de macis
		jus de citron
		sel et poivre

Préchauffer le four à 200°C (400°F).

Placer les filets de doré dans un plat.

Mélanger tous les autres ingrédients dans un bol. Verser le mélange sur les filets de poisson. Recouvrir le tout d'un papier ciré et faire mariner pendant 1 heure.

Transférer les filets de doré dans un plat allant au four. Placer le tout au four, à 10 cm (4 po) de l'élément supérieur. Faire cuire les filets de 6 à 7 minutes de chaque côté, tout en les badigeonnant de marinade pendant la cuisson.

Servir avec du jus de citron.

Technique

Placer les filets dans un plat. Verser la marinade, et laisser mariner pendant 1 heure.

Maquereaux grillés

(pour 4 personnes)

2		maquereaux, en filets
45	mL	(3 c. à soupe) d'huile d'olive
1	mL	(¼ c. à thé) de fenouil
1	mL	(¼ c. à thé) d'estragon
		jus de citron
		poivre du moulin

Préchauffer le four à 200°C (400°F).

Placer les filets de maquereau dans un grand plat.

Mélanger tous les autres ingrédients dans un bol. Verser le mélange sur les filets de poisson. Faire mariner le tout pendant ½ heure.

Retirer les filets de maquereau de la marinade et les placer dans un plat allant au four; badigeonner le tout de marinade.

Faire cuire au four sous le gril (broil) de 7 à 8 minutes de chaque côté.

Servir avec une sauce au beurre.

Sauce au beurre

60	mL	(4 c. à soupe) de beurre
15	mL	(1 c. à soupe) de persil haché
		jus de ½ citron
		poivre du moulin

Faire fondre le beurre dans une petite casserole. Ajouter tous les autres ingrédients; faire chauffer pendant 2 minutes.

Verser la sauce sur les filets de maquereau. Servir.

Filets de maquereau au vin blanc

(pour 6 personnes)

8	filets de maquereau
4 à 5	feuilles de laurier
1	oignon coupé en rondelles
1	carotte, pelée et coupée en rondelles
1	citron coupé en rondelles
250 mL	(1 tasse) de sauce aux tomates
500 mL	(2 tasses) de vin blanc sec
	fenouil frais en branches
	sauge fraîche
	sel et poivre en grain

Préchauffer le four à 180°C (350°F).

Dans le fond d'un plat allant au four, étendre une couche de fenouil, d'oignons, de carottes et 2 feuilles de laurier.

Recouvrir le tout de filets de maquereau; puis de nouveau de fenouil, de laurier, d'oignons et de carottes.

Ajouter 2 ou 3 rondelles de citron, la sauge et la sauce tomate. Verser le vin blanc, saler et parsemer de grains de poivre.

Faire cuire au four, sans couvrir, pendant 30 minutes.

Servir chaud ou froid.

Langues de morue
(pour 4 personnes)

454 g	(1 lb)	de langues de morue
60 mL	(4 c. à soupe)	de beurre
15 mL	(1 c. à soupe)	d'huile
250 mL	(1 tasse)	de farine
		jus de citron frais
		sel et poivre

Laver les langues de morue et les assécher dans du papier essuie-tout. Les saler, les poivrer et les rouler dans la farine.

Faire chauffer le beurre et l'huile dans une sauteuse à feu moyen. Ajouter les langues et les faire cuire de 2 à 3 minutes de chaque côté.

Dès qu'elles sont cuites, les placer dans un plat de service. Arroser le tout de jus de citron. Servir.

Purée de morue

(pour 6 personnes)

Mettre la morue dans une grande casserole et ajouter assez d'eau froide pour la recouvrir; laisser tremper pendant 12 heures.

Retirer la morue de l'eau et la placer dans une sauteuse. Ajouter les légumes; poivrer généreusement. Recouvrir d'eau froide (pas plus que nécessaire); amener à ébullition à feu très moyen.

Dès que l'eau commence à bouillir, retirer la sauteuse du feu et laisser refroidir la morue dans le liquide de cuisson.

Retirer la morue de la sauteuse; enlever les arêtes du poisson et jeter le liquide de cuisson.

Remettre la morue dans la sauteuse à feu doux. Ajouter l'ail.

Ajouter la crème et l'huile, en filet, en alternant les deux ingrédients et en mélangeant constamment pour obtenir une mousse. Rectifier l'assaisonnement.

Mettre le tout dans un blender pendant 1 minute.

Servir avec des olives farcies et du pain français à l'ail.

1,3	kg	(3 lb) de morue salée
1		carotte émincée
1		poireau, lavé et émincé (le blanc seulement)
1		gousse d'ail, écrasée et hachée
250	mL	(1 tasse) de crème à 35%
125	mL	(½ tasse) d'huile d'olive
		une pincée de muscade
		sel et poivre

Palourdes à l'italienne

(pour 4 personnes)

Mettre les palourdes dans une casserole. Ajouter le ½ citron et l'eau; couvrir et amener à ébullition. Remuer 2 fois pendant la cuisson. Continuer la cuisson de 3 à 4 minutes pour faire ouvrir les palourdes.

Dès qu'elles sont ouvertes, les retirer et les égoutter.

A l'aide d'un petit couteau, retirer le mollusque et le hacher. Mettre de côté.

Placer les demi-coquilles dans un plat allant au four. Mettre de côté.

Faire chauffer l'huile dans une sauteuse à feu moyen. Ajouter l'oignon, le céleri, le piment et l'ail. Saler, poivrer; couvrir et faire cuire 4 minutes.

Retirer le couvercle. Ajouter les tomates; mélanger et faire cuire à feu doux 8 ou 10 minutes.

Ajouter la pâte de tomates; mélanger de nouveau et faire cuire 4 ou 5 minutes.

Ajouter le fromage gruyère; assaisonner au goût. Faire mijoter à feu doux de 3 à 4 minutes.

Ajouter les palourdes hachées; mélanger le tout.

Remplir les demi-coquilles; mettre le tout au four sous le gril (broil) de 3 à 4 minutes.

Arroser de jus de citron. Servir.

15 mL	(1 c. à soupe) d'huile d'olive
24	palourdes lavées
½	citron
500 mL	(2 tasses) d'eau
1	oignon haché
½	branche de céleri, finement hachée
1	gousse d'ail, écrasée et hachée
1	piment vert, finement haché
1	boîte de tomates de 796 mL (28 onces), égouttées et hachées
15 mL	(1 c. à soupe) de pâte de tomates
125 mL	(½ tasse) de fromage gruyère râpé
	jus de citron
	sel et poivre

Palourdes farcies

(pour 4 personnes)

24		palourdes lavées et bien brossées (important)
4		échalotes hachées
2		gousses d'ail, écrasées et hachées
30	mL	(2 c. à soupe) de persil haché
30	mL	(2 c. à soupe) de ciboulette hachée
150	g	(⅓ lb) de beurre
250	mL	(1 tasse) de grosse chapelure
		huile
		jus de citron
		poivre du moulin

Préchauffer le four à 200 °C (400 °F).

Placer une palourde dans un linge propre et la tenir dans la paume de la main gauche. À l'aide d'un petit couteau, glisser la lame dans la charnière entre les deux écailles, ouvrir et couper le muscle qui retient la palourde à l'écaille. Répéter la même opération pour chaque palourde.

Placer chaque demi-écaille contenant la palourde sur une plaque à biscuits. Mettre de côté.

Faire fondre le beurre dans une casserole à feu moyen. Ajouter les échalotes, l'ail, le persil et la ciboulette; faire cuire 2 minutes.

Ajouter la chapelure, mélanger et assaisonner au goût; faire cuire 2 minutes.

Recouvrir chaque palourde avec le mélange de chapelure. Arroser le tout de jus de citron et de quelques gouttes d'huile.

Faire cuire au four de 8 à 10 minutes.

Servir avec un vin blanc sec et froid.

Barquettes de pétoncles

(pour 6 personnes)

Préparation de la pâte

500	mL	(2 tasses) de farine tout usage
175	mL	(¾ tasse) de saindoux
45 à 60	mL	(3 à 4 c. à soupe) d'eau froide
		une pincée de sel

Préchauffer le four à 190 °C (375 °F).

Tamiser la farine et le sel dans un bol. Faire un trou au milieu de la farine et y mettre le saindoux. Incorporer le tout avec un couteau à pâte.

Dès que la pâte commence à se former, ajouter l'eau et former une boule. Envelopper la pâte dans un linge ou un papier ciré et la laisser reposer pendant 1 heure.

Rouler la pâte et foncer des moules à tartelettes. Piquer la pâte avec une fourchette.

Faire cuire le tout au four de 15 à 16 minutes. Retirer du four et mettre de côté.

→

Barquettes de pétoncles (suite)

Préparation des pétoncles

454 g	(1 lb) de pétoncles
114 g	(¼ lb) de champignons frais, lavés et émincés
15 mL	(1 c. à soupe) d'échalotes
375 mL	(1½ tasse) d'eau froide
45 mL	(3 c. à soupe) de beurre
45 mL	(3 c. à soupe) de farine
50 mL	(¼ tasse) de crème épaisse à la française*
15 mL	(1 c. à soupe) de persil haché
125 mL	(½ tasse) de fromage gruyère râpé
	paprika
	sel et poivre
	jus de citron

Préchauffer le four à 190 °C (375 °F).

Mettre les pétoncles, les champignons, les échalotes, le jus de citron et l'eau dans une sauteuse ; couvrir avec un papier ciré et amener le liquide à ébullition.

Dès que le liquide commence à bouillir, retirer les pétoncles et les mettre de côté.

Placer la sauteuse sur l'élément et faire cuire le liquide de 4 à 5 minutes.

Faire fondre le beurre dans une casserole. Ajouter la farine et faire cuire à feu doux pendant 2 minutes. Ajouter le liquide de cuisson et mélanger le tout avec un fouet métallique.

Ajouter la crème et le persil. Assaisonner au goût et faire cuire le tout de 4 à 5 minutes. Ajouter les pétoncles et bien mélanger.

Verser la préparation dans les tartelettes et parsemer le tout de fromage râpé. Faire cuire au four sous le gril (broil) pendant 3 minutes.

Saupoudrer de paprika. Servir.

*Disponible dans certaines épiceries.

Technique

1 Mettre les pétoncles, les champignons et les échalotes dans une sauteuse. Ajouter l'eau et le jus de citron ; couvrir et amener à ébullition.

4 Ajouter le liquide de cuisson.

2   Retirer les pétoncles. Mettre de côté.

3   Faire fondre le beurre dans une casserole. Ajouter la farine ; faire cuire 2 minutes à feu doux.

5   Ajouter la crème.

6   Remplir les tartelettes. Parsemer le tout de fromage râpé.

Cocktail de pétoncles marinés

Cocktail de pétoncles marinés

(pour 4 personnes)

454 g	(1 lb) de pétoncles
60 mL	(4 c. à soupe) d'huile d'olive
½	oignon d'Espagne, finement haché
1	piment doux mariné, haché
1	piment rouge émincé
22 mL	(1½ c. à soupe) de poudre de cari
125 mL	(½ tasse) de chutney
	quelques gouttes de sauce Tabasco
	jus de citron
	sel et poivre

Faire chauffer l'huile dans une sauteuse. Ajouter les pétoncles; faire cuire 3 minutes.

Retirer les pétoncles et les mettre dans un bol. Arroser le tout de jus de citron.

Mettre l'oignon dans la sauteuse. Ajouter le piment rouge émincé; faire cuire de 8 à 10 minutes. Après 5 minutes de cuisson, ajouter la poudre de cari, mélanger et continuer la cuisson.

Ajouter le piment mariné et le chutney. Assaisonner au goût; faire cuire 2 minutes.

Verser le mélange chaud sur les pétoncles; laisser refroidir. Servir en cocktail sur des feuilles de laitue.

Aiguillettes de turbot

(pour 6 personnes)

2	filets de turbot
30 mL	(2 c. à soupe) de beurre
1	branche de céleri, émincée
114 g	(¼ lb) de champignons frais, lavés et émincés
15 mL	(1 c. à soupe) de persil haché
375 mL	(1½ tasse) de bouillon de poisson chaud
50 mL	(¼ tasse) de vin blanc sec
15 mL	(1 c. à soupe) de fécule de maïs
45 mL	(3 c. à soupe) d'eau froide
	paprika
	jus de citron
	sel et poivre

Couper les filets de turbot en lanières.

Beurrer une sauteuse. Placer les lanières de turbot dans la sauteuse. Ajouter le céleri, les champignons et le persil haché.

Saler, poivrer. Ajouter le vin blanc et le bouillon de poisson. Amener le liquide à ébullition. Dès que le liquide commence à bouillir, retirer du feu.

Laisser mijoter 3 à 4 minutes hors du feu. Retirer les aiguillettes du liquide. Mettre de côté.

Remettre la sauteuse sur l'élément du poêle; faire cuire 3 minutes.

Mélanger la fécule de maïs et l'eau froide. Incorporer le mélange au jus de cuisson. Ajouter le paprika; remuer et faire mijoter 3 minutes à feu très doux. Retirer du feu.

Ajouter les aiguillettes de poisson; mélanger délicatement.

Arroser de jus de citron. Servir.

Fruits de mer

Crabe dormeur farci à l'aubergine
(pour 4 personnes)

4	crabes dormeurs, cuits et refroidis
60 mL	(4 c. à soupe) d'huile d'olive
2	aubergines, coupées en dés
2	gousses d'ail, écrasées et hachées
60 mL	(4 c. à soupe) de chapelure
	sel et poivre

Préchauffer le four à 190 °C (375 °F).

Retirer la chair des pattes et des pinces des crabes.

A l'aide d'un petit couteau de cuisine, retirer le dessous de la carapace. Évider délicatement les carapaces avec une cuillère. Mettre de côté.

Faire chauffer l'huile dans une sauteuse à feu moyen. Ajouter les aubergines et poivrer; couvrir et faire cuire de 16 à 18 minutes.

Ajouter l'ail et la chair de crabe. Saler, poivrer et mélanger le tout.

Farcir les carapaces avec le mélange; parsemer de chapelure. Faire cuire au four de 10 à 12 minutes.

Trois ou quatre minutes avant la fin de la cuisson, régler le four à gril (broil).

Servir avec des rondelles de citron.

Crabe dormeur farci au fromage
(pour 4 personnes)

4	crabes dormeurs, cuits et refroidis
30 mL	(2 c. à soupe) de beurre
30 mL	(2 c. à soupe) d'échalotes hachées
30 mL	(2 c. à soupe) de persil haché
1 mL	(¼ c. à thé) de muscade
500 mL	(2 tasses) de sauce Mornay*
125 mL	(½ tasse) de fromage gruyère râpé
	jus de citron
	sel et poivre

Retirer la chair des pattes et des pinces des crabes. Couper la chair en petits dés.

A l'aide d'un petit couteau de cuisine, retirer le dessous de la carapace du crabe. Évider délicatement la carapace avec une petite cuillère. Mettre de côté.

Faire chauffer le beurre dans une sauteuse à feu moyen. Ajouter les échalotes et le persil; faire cuire de 3 à 4 minutes.

Ajouter la chair des crabes, la muscade et la sauce blanche au fromage; faire chauffer à feu doux pendant 3 minutes.

Remettre le mélange dans les carapaces de crabe; parsemer le tout de fromage râpé. Faire cuire au four sous le gril (broil) de 7 à 8 minutes.

Arroser de jus de citron. Servir.

*Voir la recette à la page 60.

Crevettes, imitation des Indes

A l'aide d'un petit couteau de cuisine, retirer la veine noire sur le dos de la crevette. Bien laver les crevettes.

Faire chauffer l'huile dans une sauteuse à feu très vif. Ajouter les crevettes; saler, poivrer et faire cuire pendant 2 minutes. Remuer les crevettes 2 fois pendant la cuisson.

Ajouter le gingembre, l'ail et l'oignon; faire cuire à feu moyen pendant 1 minute. Ajouter le cumin et les tomates; faire cuire 1 minute de plus.

Retirer les crevettes et les mettre de côté.

Verser le bouillon de poulet et la sauce soya dans la sauteuse. Assaisonner au goût; faire cuire de 8 à 10 minutes à feu moyen.

Remettre les crevettes dans la sauce; réduire la chaleur et faire mijoter de 3 à 4 minutes.

Parsemer le tout de noix de coco. Servir.

(pour 4 personnes)

680 g	(1 ½ lb) de crevettes crues, décortiquées
1	oignon finement haché
30 mL	(2 c. à soupe) d'huile d'olive
5 mL	(1 c. à thé) de gingembre finement haché
1	gousse d'ail, écrasée et hachée
5 mL	(1 c. à thé) de cumin
1	boîte de tomates de 796 mL (28 onces), égouttées et hachées
15 mL	(1 c. à soupe) de sauce soya
125 mL	(½ tasse) de bouillon de poulet chaud
50 mL	(¼ tasse) de noix de coco râpée
	sel et poivre

Technique

1 Faire cuire les crevettes dans l'huile chaude pendant 2 minutes. →

Technique des crevettes, imitation des Indes (suite)

2 Ajouter le gingembre, l'ail et l'oignon; faire cuire à feu moyen pendant 1 minute.

3 Ajouter le cumin et les tomates; faire cuire 1 minute.

4 Retirer les crevettes. Mettre de côté.

5 Verser la sauce soya et le bouillon de poulet dans la sauteuse.

Brochettes de crevettes et de piment

(pour 4 personnes)

45 mL	(3 c. à soupe) de beurre fondu
15 mL	(1 c. à soupe) de persil haché
1	gousse d'ail, écrasée et hachée
24	crevettes, décortiquées et lavées
2	piments rouges coupés en dés
1	pomme non pelée, évidée et coupée en quartiers
	jus de citron
	sel et poivre

Préchauffer le four à 200 °C (400 °F).

Mettre le beurre dans un petit bol. Ajouter le persil, l'ail et le jus de citron. Poivrer et mélanger le tout.

Enfiler, en alternant, crevette, piment et pomme. Remplir toutes les brochettes. Saler, poivrer.

Badigeonner les brochettes avec le mélange de beurre et les placer dans un plat allant au four.

Faire cuire au four sous le gril (broil), à 15 cm (6 po) de l'élément supérieur, de 3 à 4 minutes de chaque côté.

Arroser le tout de jus de citron. Servir.

Note: Badigeonner les brochettes de beurre pendant la cuisson.

Crêpes aux asperges et aux crevettes

Crêpes aux asperges et aux crevettes

(pour 4 personnes)

8	crêpes*
60 mL	(4 c. à soupe) de beurre
45 mL	(3 c. à soupe) de farine
375 mL	(1½ tasse) de lait chaud
125 mL	(½ tasse) de sauce tomate du commerce
350 g	(¾ lb) de crevettes, cuites et décortiquées
227 g	(½ lb) de champignons frais, lavés et coupés en dés
125 mL	(½ tasse) de fromage gruyère râpé
2	bottes d'asperges cuites, chaudes
	sel et poivre

Préchauffer le four à 190 °C (375 °F).

Faire fondre le beurre dans une casserole. Ajouter les champignons. Saler, poivrer; faire cuire de 3 à 4 minutes.

Ajouter la farine; mélanger et continuer la cuisson pendant 2 minutes. Ajouter le lait chaud; mélanger le tout.

Ajouter la sauce tomate. Assaisonner au goût; faire mijoter à feu doux de 4 à 5 minutes.

Ajouter les crevettes, mélanger et mettre de côté.

Placer 3 asperges au milieu de chaque crêpe; rouler et placer les crêpes dans un plat allant au four.

Répartir la sauce sur les crêpes, vers le centre, pour ne pas les recouvrir complètement. Saupoudrer de fromage râpé. Faire cuire au four sous le gril (broil) de 3 à 4 minutes. Servir.

*Pour la préparation des crêpes, voir *Crêpes aux pétoncles et aux kiwis*, à la page 77.

Coquilles de crevettes à l'ail et aux tomates

(pour 4 personnes)

Préparation de la fondue de tomate

15 mL	(1 c. à soupe) d'huile d'olive
1	oignon haché
1	gousse d'ail, écrasée et hachée
15 mL	(1 c. à soupe) de persil haché
1	boîte de tomates de 796 mL (28 onces), égouttées et hachées
5 mL	(1 c. à thé) d'estragon
15 mL	(1 c. à soupe) de pâte de tomates
	une pincée de sucre
	sel et poivre

Faire chauffer l'huile dans une sauteuse à feu moyen. Ajouter l'oignon et l'ail; mélanger et faire cuire pendant 2 minutes.

Ajouter le persil, les tomates, les épices, le sucre et la pâte de tomates. Assaisonner au goût; mélanger et faire cuire à feu doux pendant 15 minutes ou jusqu'à épaississement de la fondue.

Préparation des coquilles

30 mL	(2 c. à soupe) de beurre
375 mL	(1½ tasse) de petites crevettes, décongelées, décortiquées et crues
30 mL	(2 c. à soupe) d'échalote hachée
15 mL	(1 c. à soupe) de ciboulette hachée
1	gousse d'ail, écrasée et hachée
500 mL	(2 tasses) de fondue de tomates
125 mL	(½ tasse) de fromage mozzarella râpé
	sel et poivre
	rondelles de citron pour la garniture

Préchauffer le four à 190°C (375°F).

Faire fondre le beurre dans une sauteuse à feu moyen. Ajouter l'échalote, la ciboulette et les crevettes; saler, poivrer et faire cuire pendant 3 minutes.

Ajouter l'ail; mélanger de nouveau. Verser la fondue de tomates et laisser mijoter pendant 2 minutes.

Remplir les coquilles avec la préparation et saupoudrer le tout de fromage râpé.

Faire griller au four sous le gril (broil) pendant 3 minutes. Servir.

Casserole de gnocchi et de crevettes au fromage

(pour 4 personnes)

227 g	(½ lb) de crevettes cuites, décortiquées
500 mL	(2 tasses) de sauce Mornay
50 mL	(¼ tasse) de fromage parmesan râpé
1	recette de gnocchi

Préchauffer le four à 190 °C (375 °F).

Placer les gnocchi dans un plat beurré allant au four. Les recouvrir de crevettes cuites et ajouter la sauce Mornay. Saupoudrer le tout de fromage parmesan râpé.

Faire cuire au four sous le gril (broil) de 3 à 4 minutes.

Préparation des gnocchi

300 mL	(1¼ tasse) d'eau froide
45 mL	(3 c. à soupe) de beurre
1 mL	(1 c. à thé) de sel
375 mL	(1½ tasse) de farine tout usage
2	oeufs battus
75 mL	(⅓ tasse) de fromage parmesan râpé

Verser l'eau froide dans une petite casserole. Ajouter le beurre et le sel; faire chauffer de 2 à 3 minutes pour permettre au beurre de fondre.

Retirer la casserole du feu. Ajouter la farine; mélanger le tout rapidement.

Remettre la casserole sur l'élément. Faire cuire le tout pendant 2 minutes en remuant constamment jusqu'à ce que la pâte se détache de la cuillère.

Retirer la casserole du feu et verser le mélange dans un bol.

Ajouter les oeufs et le fromage tout en mélangeant avec un batteur électrique.

Remplir une sauteuse d'eau salée et l'amener au point d'ébullition.

A l'aide d'une cuillère ou d'un sac à pâtisserie muni d'une douille unie, mettre une petite quantité de pâte dans l'eau frémissante et faire cuire pendant 15 minutes.

Retirer les gnocchi de l'eau à l'aide d'une écumoire et les assécher délicatement.

Préparation de la sauce Mornay

45 mL	(3 c. à soupe) de beurre
30 mL	(2 c. à soupe) d'oignon râpé
45 mL	(3 c. à soupe) de farine tout usage
625 mL	(2½ tasses) de lait chaud
50 mL	(¼ tasse) de fromage cheddar râpé
	une pincée de muscade
	sel et poivre

Faire fondre le beurre dans une casserole. Ajouter l'oignon râpé; faire cuire 2 minutes. Ajouter la farine, mélanger et faire cuire pendant 1 minute.

Ajouter le lait chaud; mélanger avec un fouet métallique. Faire cuire de 7 à 8 minutes à feu doux.

Trois minutes avant la fin de la cuisson, ajouter le fromage et la muscade. Assaisonner au goût.

Homard à la béchamel

(pour 2 personnes)

2	homards de 680 à 907 g (1 ½ à 2 lb) chacun
30 mL	(2 c. à soupe) de beurre
1	échalote hachée
114 g	(¼ lb) de champignons frais, lavés et coupés en dés
250 mL	(1 tasse) de sauce blanche chaude*
	jus de citron
	sel et poivre blanc
	persil haché

Préchauffer le four à 95°C (200°F).

Placer les homards dans une grande casserole contenant de l'eau bouillante salée; faire cuire à feu moyen de 16 à 18 minutes.

Dès que les homards sont cuits, les retirer et les laisser refroidir.

Dès que les homards sont froids, détacher les pinces et retirer la chair; couper la membrane avec une paire de ciseaux et en retirer la chair; réserver le foie.

Couper les carapaces en deux, dans le sens de la longueur, et les faire sécher au four.

Couper la chair des homards en biseau

Faire fondre le beurre dans une sauteuse à feu moyen. Ajouter l'échalote et les champignons; saler, poivrer et faire cuire 2 minutes.

Ajouter les morceaux de homard et le foie; faire cuire de 2 à 3 minutes.

Ajouter la sauce blanche, remuer et assaisonner au goût; faire mijoter de 3 à 4 minutes.

Farcir les carapaces chaudes. Arroser de jus de citron. Parsemer de persil. Servir.

*Pour la préparation de la sauce blanche, voir *Casserole de flétan*, à la page 105.

Homard grillé au beurre à l'ail et à l'échalote

(pour 4 personnes)

Préparation du beurre à l'ail et à l'échalote

227 g	(½ lb) de beurre mou
1	échalote hachée
1	gousse d'ail, écrasée et hachée
5 mL	(1 c. à thé) de grains de poivre vert
15 mL	(1 c. à soupe) de persil haché
	jus de citron
	sel et poivre

Écraser le poivre vert avec le dos d'une cuillère. Mettre tous les ingrédients dans un bol; mélanger et assaisonner au goût.

Placer le mélange sur une feuille de papier d'aluminium, rouler et sceller les extrémités. Placer le tout au congélateur.

4	homards de 680 à 907 g (1 ½ à 2 lb) chacun
125 mL	(½ tasse) de beurre à l'ail et à l'échalote
	jus de citron
	poivre du moulin

Préchauffer le four à 200°C (400°F).

Mettre les homards dans une grande casserole contenant de l'eau bouillante salée; faire cuire à feu très moyen pendant 10 minutes.

Retirer les homards et les faire refroidir.

Couper les homards en deux dans le sens de la longueur. Retirer le sac qui se trouve dans la tête du homard.

Placer les demi-homards dans un plat allant au four. Recouvrir de beurre à l'ail et à l'échalote.

Faire cuire au four sous le gril (broil) pendant 8 minutes.

Servir avec du jus de citron.

Homard au poivre vert

Homard au poivre vert

(pour 4 personnes)

4	homards de 680 à 907 g (1 ½ à 2 lb) chacun
30 mL	(2 c. à soupe) de beurre
1	échalote hachée
25	champignons frais, lavés et coupés en dés
30 mL	(2 c. à soupe) de grains de poivre vert, écrasés
125 mL	(½ tasse) de vin blanc sec
500 mL	(2 tasses) de crème épaisse à la française*
1	jaune d'oeuf mélangé à 30 mL (2 c. à soupe) de crème épaisse à la française
	jus de citron
	persil haché
	sel et poivre

Placer les homards dans une grande casserole contenant de l'eau bouillante salée; faire cuire pendant 15 minutes. (Faire cuire de 2 à 3 minutes de plus si les homards pèsent 907 g (2 lb).)

Retirer les homards et les laisser refroidir sur le comptoir de la cuisine. Lorsqu'ils sont froids, détacher les pinces et retirer la chair; découper la membrane de la queue avec une paire de ciseaux et retirer la chair, tout en prenant soin de ne pas briser la carapace.

Couper la chair des homards en biseau.

Faire fondre le beurre dans une sauteuse à feu moyen. Ajouter l'échalote, les champignons et le poivre vert écrasé; saler et faire cuire de 3 à 4 minutes.

Ajouter la chair des homards; faire cuire 2 minutes à feu doux. Verser le vin blanc; continuer la cuisson pendant 3 minutes.

Retirer la chair des homards de la sauteuse et la mettre de côté.

Verser la crème dans le liquide de cuisson; assaisonner au goût et faire cuire 3 à 4 minutes.

Ajouter le mélange de jaune d'oeuf; remuer le tout. (Ne pas faire bouillir.)

Remettre la chair des homards dans la sauce. Arroser de quelques gouttes de jus de citron; faire mijoter de 3 à 4 minutes.

Farcir les carapaces de homard avec le mélange. Servir.

*Disponible dans certaines épiceries.

Coquilles d'huîtres en vrac

(pour 4 personnes)

375 mL	(1 ½ tasse) d'huîtres en vrac
50 mL	(¼ tasse) d'eau froide
1	tranche de jambon de Virginie de 0,65 cm (¼ po) d'épaisseur, coupée en dés
114 g	(¼ lb) de champignons frais, lavés et coupés en dés
45 mL	(3 c. à soupe) de beurre
45 mL	(3 c. à soupe) de farine
625 mL	(2 ½ tasses) de lait chaud
15 mL	(1 c. à soupe) de persil haché
50 mL	(¼ tasse) de fromage mozzarella râpé
	une pincée de paprika
	quelques gouttes de jus de citron
	sel et poivre

Préchauffer le four à 200° C (400° F).

Mettre les huîtres et le jus dans une petite casserole. Ajouter l'eau et le jus de citron; couvrir et amener le liquide à ébullition.

Retirer la casserole du feu et laisser mijoter les huîtres dans le liquide chaud pendant 2 minutes. Mettre de côté.

Faire chauffer le beurre dans une casserole à feu moyen. Ajouter les champignons et le jambon; poivrer et faire cuire de 2 à 3 minutes.

Ajouter la farine, mélanger et continuer la cuisson pendant 1 minute. Verser le lait chaud et bien remuer le tout.

Ajouter le persil, le paprika et le liquide de cuisson des huîtres; faire cuire à feu doux de 3 à 4 minutes.

Retirer la casserole du feu et y ajouter les huîtres; bien mélanger.

Remplir les coquilles avec la préparation et parsemer le tout de fromage râpé.

Faire dorer au four sous le gril (broil) pendant 2 minutes.

Servir avec un vin sec.

Huîtres et crevettes au four

(pour 4 personnes)

24	huîtres sur écaille
454 g	(1 lb) de petites crevettes, cuites et décortiquées
50 mL	(¼ tasse) d'eau
45 mL	(3 c. à soupe) de beurre
60 mL	(4 c. à soupe) de farine
375 mL	(1½ tasse) de lait chaud
125 mL	(½ tasse) de fromage parmesan râpé
15 mL	(1 c. à soupe) de persil haché
	une pincée de macis
	jus de cuisson des huîtres
	jus de citron
	sel et poivre

Préchauffer le four à 200° C (400° F).

Ouvrir les huîtres à l'aide d'un couteau. Mettre le jus des huîtres et les huîtres dans une petite casserole. Ajouter l'eau et amener le liquide à ébullition.

Retirer la casserole du feu et laisser les huîtres pocher dans le liquide chaud pendant 3 minutes.

Faire fondre le beurre dans une casserole à feu moyen. Ajouter la farine, mélanger et faire cuire pendant 2 minutes.

Ajouter le lait chaud, remuer et amener le liquide à ébullition. Ajouter le liquide de cuisson et les épices. Saler, poivrer et faire mijoter le tout de 5 à 6 minutes.

Mettre les huîtres et les crevettes dans la sauce. Retirer la casserole du feu et laisser mijoter le tout dans la sauce chaude de 3 à 4 minutes.

Remplir les écailles d'huîtres avec le mélange et les placer sur une plaque à biscuits.

Saupoudrer le tout de fromage râpé et faire dorer au four sous le gril (broil) pendant 3 minutes. Servir.

Vol-au-vent aux huîtres

(pour 4 personnes)

375 mL	(1½ tasse) d'huîtres en vrac
50 mL	(¼ tasse) d'eau
60 mL	(4 c. à soupe) de beurre
45 mL	(3 c. à soupe) de farine
375 mL	(1½ tasse) de bouillon de poulet chaud
375 mL	(1½ tasse) de crème épaisse à la française*
2	échalotes hachées
15 mL	(1 c. à soupe) de persil haché
114 g	(¼ lb) de champignons frais, lavés et coupés en dés
1 mL	(¼ c. à thé) de muscade
4	vol-au-vent chauds
	jus de citron et rondelles de citron
	sel et poivre

Mettre les huîtres dans une petite casserole. Ajouter l'eau et le jus de citron; amener le liquide à ébullition.

Retirer la casserole du feu. Laisser mijoter les huîtres dans le liquide chaud pendant 3 minutes. Mettre de côté.

Mettre le beurre, les échalotes, le persil et les champignons dans une casserole. Saler, poivrer; couvrir et faire cuire pendant 3 minutes.

Ajouter la farine, mélanger et faire cuire pendant 1 minute. Verser le bouillon de poulet chaud; remuer le tout.

Ajouter la crème et la muscade; remuer et continuer la cuisson à feu doux de 5 à 6 minutes.

Ajouter les huîtres et si la sauce est trop épaisse, ajouter un peu du liquide de cuisson des huîtres; mélanger le tout.

Verser le mélange sur les vol-au-vent chauds. Parsemer le tout de persil haché.

Garnir de rondelles de citron. Servir.

* La crème épaisse à la française ne se trouvant pas dans tous les magasins d'alimentation, on peut la remplacer par de la crème à 35%.

Langoustines grillées

(pour 4 personnes)

32	langoustines
	beurre à l'ail et aux fines herbes, congelé
	jus de citron
	poivre du moulin

Préchauffer le four à gril (broil).

A l'aide d'un couteau du chef, couper le dos des langoustines dans le sens de la longueur pour pouvoir les ouvrir en deux.

Poivrer généreusement les langoustines et y placer des petits morceaux de beurre à l'ail. Arroser le tout de jus de citron.

Placer les langoustines dans un plat. Faire cuire le tout au four, sous le gril (broil), à 15 cm (6 po) de l'élément supérieur, de 8 à 10 minutes.

Servir avec une salade verte.

Préparation du beurre à l'ail et aux fines herbes

227 g	(½ lb) de beurre mou
15 mL	(1 c. à soupe) de persil haché
15 mL	(1 c. à soupe) de ciboulette hachée
15 mL	(1 c. à soupe) d'estragon haché
1	gousse d'ail, écrasée et hachée
	quelques gouttes de jus de citron
	quelques gouttes de sauce Tabasco
	quelques gouttes de sauce Worcestershire
	sel et poivre

Mélanger tous les ingrédients dans un petit bol. Rectifier l'assaisonnement. Rouler le beurre dans un papier d'aluminium. Congeler le tout.

Queues de langouste africaine au cognac

(pour 4 personnes)

8	queues de langouste
30 mL	(2 c. à soupe) de beurre
1	échalote hachée
250 mL	(1 tasse) de vin blanc sec
250 mL	(1 tasse) de crème épaisse à la française*
30 mL	(2 c. à soupe) de cognac
15 mL	(1 c. à soupe) de persil haché
5 mL	(1 c. à thé) de fécule de maïs
30 mL	(2 c. à soupe) d'eau froide
	jus de citron
	sel et poivre

Placer les queues de langouste dans une casserole contenant de l'eau bouillante salée et citronnée; faire cuire à feu très moyen de 8 à 10 minutes selon leur grosseur.

Placer la casserole sous l'eau froide. Retirer les queues de langouste de la casserole.

A l'aide d'une paire de ciseaux, couper la membrane sous la carapace. Retirer la chair délicatement et la couper en biseau.

Faire chauffer le beurre dans une sauteuse à feu moyen. Ajouter la chair de langouste et l'échalote; faire cuire 2 minutes.

Verser le cognac; flamber. A l'aide d'une pince de cuisine, retirer la chair de langouste et la mettre de côté.

Verser le vin blanc dans la poêle; faire réduire le liquide de 4 à 5 minutes.

Ajouter la crème et le persil; remuer le tout et continuer la cuisson de 3 à 4 minutes.

Délayer la fécule de maïs dans l'eau froide. Incorporer le mélange à la sauce.

Remettre la chair de langouste dans la sauce; faire mijoter pendant quelques minutes.

Assaisonner au goût. Arroser de quelques gouttes de jus de citron. Servir.

*Disponible dans certaines épiceries.

Langoustines à ma façon
(pour 4 personnes)

Faire chauffer l'huile dans une sauteuse à feu vif. Ajouter la carotte et l'oignon; faire cuire 2 minutes.

Ajouter les langoustines; faire cuire à feu vif de 3 à 4 minutes. Saler, poivrer.

Verser le cognac et faire flamber pendant 1 minute.

Retirer les langoustines de la sauteuse et les mettre de côté.

Verser le vin blanc dans la sauteuse et faire bouillir le tout de 5 à 6 minutes pour faire réduire le liquide.

Ajouter la pâte de tomates, mélanger. Ajouter le thym, le persil et l'ail; mélanger de nouveau.

Ajouter les langoustines, remuer et faire mijoter le tout de 2 à 3 minutes. Arroser de jus de citron.

Servir dans des coquilles ou des petits plats.

32	langoustines décortiquées
45 mL	(3 c. à soupe) d'huile d'olive
1	carotte, coupée en très petits dés
1	oignon, coupé en très petits dés
50 mL	(¼ tasse) de cognac
375 mL	(1 ½ tasse) de vin blanc sec
30 mL	(2 c. à soupe) de pâte de tomates
15 mL	(1 c. à soupe) de persil haché
15 mL	(1 c. à soupe) d'ail haché
	une pincée de thym
	jus de citron
	sel et poivre

Coquilles d'ormeau
(pour 4 personnes)

30 mL	(2 c. à soupe) de beurre
2	échalotes hachées
15 mL	(1 c. à soupe) de persil haché
375 mL	(1 ½ tasse) de chair d'ormeau, dégelée
500 mL	(2 tasses) de sauce au vin blanc*
125 mL	(½ tasse) de fromage gruyère râpé
	jus de citron
	sel et poivre

Préchauffer le four à 190°C (375°F).

Faire fondre le beurre dans une petite casserole. Ajouter les échalotes; faire cuire 2 minutes.

Ajouter le persil haché et la chair d'ormeau. Saler, poivrer et arroser le tout de quelques gouttes de jus de citron.

Ajouter la sauce au vin blanc, remuer et verser le tout dans des coquilles ou des petits plats.

Parsemer de fromage râpé. Faire cuire au four de 8 à 10 minutes. Servir.

*Pour la préparation de la sauce au vin blanc, voir *Steak de saumon, sauce au vin blanc*, à la page 123.

Morue et queues de homard pochées

(pour 4 personnes)

1		filet de morue de 680 g (1 ½ lb)
3		queues de homard
30	mL	(2 c. à soupe) de beurre
1		échalote hachée
50	mL	(¼ tasse) de porto
500	mL	(2 tasses) de sauce blanche*
50	mL	(¼ tasse) de fromage gruyère râpé
8		crêpes**
		une pincée de muscade
		sel et poivre

Placer les queues de homard dans du bouillon frémissant; faire pocher à feu très doux de 12 à 15 minutes selon leur grosseur. Huit minutes avant la fin de la cuisson, ajouter le filet de morue et continuer la cuisson.

Dès que le filet de morue est cuit, le retirer et le mettre de côté.

Retirer les queues de homard, les décortiquer et les couper en escalopes.

Faire fondre le beurre dans une sauteuse à feu moyen. Ajouter l'échalote; faire cuire 2 minutes.

Couper le filet de morue en morceaux et les ajouter aux échalotes.

Ajouter les queues de homard et le porto; faire cuire à feu très vif pendant 2 minutes.

Ajouter la sauce blanche chaude; mélanger. Ajouter le fromage et la muscade; mélanger de nouveau.

Placer 30 mL (2 c. à soupe) du mélange sur chaque crêpe. Plier les crêpes en 4 et les placer dans un plat beurré allant au four. Verser le reste de la sauce sur les crêpes. Saupoudrer de fromage.

Faire dorer le tout au four sous le gril (broil) pendant 3 minutes. Servir.

*Pour la préparation de la sauce blanche, voir *Casserole de flétan*, à la page 105.

**Pour la préparation des crêpes, voir *Crêpes aux pétoncles*, à la page 75.

Technique

1 Placer les queues de homard dans un bouillon frémissant.

→

Technique de la morue et queues de homard pochées (suite)

2 Ajouter les filets de morue.

3 Couper les queues de homard en escalopes.

5 Ajouter la sauce blanche; mélanger. Ajouter le fromage et la muscade; mélanger de nouveau.

6 Farcir les crêpes et les plier en 4.

4 Dans une sauteuse contenant du beurre chaud, mettre l'échalote, la morue, le homard et le porto. Faire cuire 2 minutes à feu très vif.

7 Verser le reste de la sauce sur les crêpes. Saupoudrer le tout de fromage.

Moules à la flamande

(pour 4 personnes)

2,2	kg	(5 lb) de moules lavées, brossées et la barbe retirée
1		poireau, lavé et émincé
1		carotte coupée en julienne
1		échalote hachée finement
15	mL	(1 c. à soupe) de persil haché
5	mL	(1 c. à thé) de beurre
250	mL	(1 tasse) de vin blanc sec
375	mL	(1½ tasse) de crème épaisse à la française*
2		gouttes de sauce Tabasco
		jus de citron
		sel et poivre

Faire fondre le beurre dans une grande casserole à feu moyen. Ajouter la carotte et le poireau; couvrir et faire cuire de 3 à 4 minutes.

Ajouter les moules et le vin blanc; couvrir et continuer la cuisson de 3 à 4 minutes pour faire ouvrir les moules.

Lorsque les moules sont ouvertes, les laisser mijoter de 2 à 3 minutes. Retirer les moules et les tenir au chaud.

Placer un coton à fromage dans une passoire et passer le liquide de cuisson des moules.

Verser le jus des moules dans la casserole. Ajouter le persil haché et l'échalote; faire réduire le liquide à feu très vif de 4 à 5 minutes.

Ajouter la crème et assaisonner au goût; continuer la cuisson de 3 à 4 minutes.

Verser la sauce sur les moules. Servir.

* Disponible dans certaines épiceries.

Risotto de moules

Risotto de moules

(pour 4 personnes)

Cette recette est superbe, suivez-la fidèlement.

500	mL	(2 tasses) d'eau
3	kg	(6½ lb) de moules, bien brossées et la barbe retirée
30	mL	(2 c. à soupe) d'huile d'olive
2		oignons hachés
1		gousse d'ail, écrasée et hachée
60	g	(2 oz) de gras de porc coupé en dés
3		tomates, pelées et coupées en dés
125	mL	(½) tasse de riz à longs grains, lavé
		sel et poivre

Préchauffer le four à 180°C (350°F).

Mettre les moules dans une grande casserole. Ajouter l'eau, couvrir et amener le liquide à ébullition. Faire cuire pendant 3 minutes pour permettre aux moules de s'ouvrir.

Dès que les moules sont cuites, les retirer de la casserole et les mettre de côté.

Passer le liquide de cuisson au travers d'un coton à fromage. Mettre de côté.

Faire chauffer l'huile dans une sauteuse. Ajouter les oignons et l'ail; faire cuire 2 minutes.

Ajouter le gras de porc et les tomates; saler, poivrer et faire cuire pendant 3 minutes. Ajouter le riz; mélanger le tout.

Verser 375 mL (1½ tasse) du liquide de cuisson. Amener le tout à ébullition; couvrir et faire cuire au four pendant 18 minutes.

Quatre minutes avant la fin de la cuisson, retirer les moules de leurs coquilles et les ajouter au riz.

Servir.

Casserole de palourdes et de pommes de terre

(pour 4 personnes)

36		palourdes, brossées et lavées
750	mL	(3 tasses) d'eau froide
3		brins de persil
2		échalotes hachées
3		pommes de terre, pelées et coupées en 4
114	g	(¼ lb) de champignons frais, lavés et coupés en deux
45	mL	(3 c. à soupe) de beurre ou de margarine
52	mL	(3½ c. à soupe) de farine
15	mL	(1 c. à soupe) de persil haché
		paprika
		sel et poivre

Mettre les palourdes dans une casserole. Ajouter l'eau, le persil et les échalotes; couvrir et amener le liquide à ébullition. Faire cuire à feu moyen pour permettre aux palourdes de s'ouvrir.

Retirer la casserole du feu. Retirer les palourdes de leurs coquilles et les mettre de côté.

Passer le liquide de cuisson au travers d'un coton à fromage.

Verser le liquide de cuisson dans une casserole. Ajouter les pommes de terre et amener à ébullition. (Le temps de cuisson varie selon la grosseur des pommes de terre.)

Quatre minutes avant la fin de la cuisson, ajouter les champignons; couvrir et continuer la cuisson.

Retirer les pommes de terre et les champignons de la casserole et les mettre de côté. Conserver le liquide de cuisson. Si vous n'avez pas 500 mL (2 tasses) de liquide, ajoutez de l'eau froide. Mettre de côté.

Faire fondre le beurre dans une casserole à feu moyen. Ajouter la farine, mélanger et continuer la cuisson pendant 2 minutes. Verser le liquide de cuisson; mélanger le tout.

Ajouter le persil. Assaisonner au goût et faire mijoter de 4 à 5 minutes.

Ajouter les palourdes à la sauce, puis les pommes de terre et les champignons; mélanger et faire cuire à feu très doux de 3 à 4 minutes.

Saupoudrer de paprika. Servir.

Coquilles de pétoncles à la duchesse

(pour 4 personnes)

Préparation des pommes de terre duchesse

4		pommes de terre avec la peau
1		jaune d'oeuf
30	mL	(2 c. à soupe) de beurre
45	mL	(3 c. à soupe) de crème épaisse à la française*
1	mL	(¼ c. à thé) de muscade
		sel et poivre

Préchauffer le four à 200°C (400°F).

Faire cuire les pommes de terre avec la peau dans l'eau salée. Dès qu'elles sont cuites, les égoutter et les remettre dans la casserole, sans eau.

Placer la casserole sur l'élément du poêle et les assécher pendant 2 minutes. Peler les pommes de terre et les mettre en purée à l'aide d'un moulin à légumes.

Ajouter le jaune d'oeuf, la crème et le beurre aux pommes de terre; bien incorporer le tout.

Saler, poivrer et ajouter la muscade; mélanger de nouveau.

Placer la purée de pommes de terre dans un sac à pâtisserie muni d'une douille étoilée et décorer le pourtour des coquilles.
Mettre de côté.

Préparation des pétoncles

454	g	(1 lb) de pétoncles
114	g	(¼ lb) de champignons frais, lavés et coupés en dés
2		échalotes hachées
15	mL	(1 c. à soupe) de persil haché
50	mL	(¼ tasse) de vin blanc sec
375	mL	(1½ tasse) d'eau froide
45	mL	(3 c. à soupe) de beurre
52	mL	(3½ c. à soupe) de farine
50	mL	(¼ tasse) de crème épaisse à la française*
125	mL	(½ tasse) de fromage gruyère râpé
		jus de citron
		sel et poivre

Mettre les pétoncles, les champignons, les échalotes, le persil, le vin et l'eau dans une sauteuse. Couvrir avec un papier ciré et amener le liquide à ébullition.

Retirer la sauteuse du feu, remuer et laisser reposer les pétoncles dans le liquide chaud pendant 3 minutes.

A l'aide d'une écumoire, retirer les pétoncles et les mettre de côté.

Remettre la sauteuse sur l'élément du poêle et faire réduire le liquide de 6 à 7 minutes.

Mettre le beurre dans une petite casserole et le faire fondre à feu moyen. Ajouter la farine et continuer la cuisson 2 minutes.

Ajouter le liquide de cuisson, remuer et ajouter la crème. Assaisonner au goût; faire cuire à feu doux de 6 à 7 minutes. Ajouter les pétoncles et bien mélanger.

Remplir les coquilles avec le mélange et parsemer le tout de fromage râpé.

Faire cuire au four sous le gril (broil) pendant 3 minutes. Servir.

* Disponible dans certaines épiceries.

Coquilles de pétoncles à l'aubergine

(pour 4 personnes)

45 mL	(3 c. à soupe) d'huile d'olive
1	oignon émincé
1	grosse aubergine, pelée et émincée
1	courgette émincée
2	tomates, pelées et émincées
454 g	(1 lb) de pétoncles
125 mL	(½ tasse) d'eau froide
2 mL	(½ c. à thé) d'estragon
15 mL	(1 c. à soupe) de persil
2	gousses d'ail, écrasées et hachées
50 mL	(¼ tasse) de fromage gruyère râpé
	quelques gouttes de jus de citron
	sel et poivre

Préchauffer le four à 200°C (400°F).

Faire chauffer l'huile dans une grande sauteuse à feu moyen. Ajouter l'oignon et mélanger le tout; couvrir et faire cuire pendant 3 minutes.

Ajouter l'aubergine; saler, poivrer. Ajouter l'ail et les fines herbes; couvrir et continuer la cuisson, à feu moyen, pendant 20 minutes, tout en remuant le mélange 2 ou 3 fois pendant la cuisson.

Ajouter la courgette et les tomates. Assaisonner au goût; couvrir et prolonger la cuisson de 7 à 8 minutes. Retirer le couvercle et continuer la cuisson à feu très doux de 8 à 10 minutes.

Placer les pétoncles dans une casserole. Ajouter l'eau froide et le jus de citron; amener le liquide à ébullition.

Retirer la casserole du feu et laisser mijoter les pétoncles dans le liquide chaud de 2 à 3 minutes.

Placer les pétoncles dans les coquilles et les recouvrir du mélange d'aubergine. Parsemer le tout de fromage râpé.

Faire cuire au four sous le gril (broil) pendant 3 minutes. Servir.

Coquilles de pétoncles au cari

(pour 4 personnes)

454 g	(1 lb) de pétoncles frais
114 g	(¼ lb) de champignons frais, lavés et coupés en dés
45 mL	(3 c. à soupe) d'oignon haché
30 mL	(2 c. à soupe) de poudre de cari
500 mL	(2 tasses) de bouillon de poisson chaud
50 mL	(¼ tasse) de raisins secs
50 mL	(¼ tasse) d'amandes effilées
2	pommes, pelées, évidées et émincées
45 mL	(3 c. à soupe) de beurre
52 mL	(3½ c. à soupe) de farine
	sel et poivre

Faire fondre le beurre dans une sauteuse à feu moyen. Ajouter l'oignon; couvrir et faire cuire pendant 2 minutes.

Ajouter les champignons; couvrir et faire cuire pendant 3 minutes.

Ajouter la poudre de cari, mélanger et faire cuire le tout à feu très doux pendant 4 minutes. Ajouter la farine; bien mélanger.

Verser le bouillon de poisson chaud, remuer et continuer la cuisson de 4 à 5 minutes.

Ajouter les raisins, les amandes et les pommes; prolonger la cuisson de 3 minutes.

Ajouter les pétoncles et faire cuire le tout de 2 à 3 minutes, à feu moyen.

Réduire l'élément à feu doux et laisser mijoter de 2 à 3 minutes.

Servir avec de la noix de coco râpée (facultatif).

Coquilles Saint-Jacques à ma façon
(pour 4 personnes)

454	g	(1 lb) de pétoncles frais
114	g	(¼ lb) de champignons frais, lavés et coupés en dés
1		échalote hachée
15	mL	(1 c. à soupe) de ciboulette hachée
30	mL	(2 c. à soupe) de vermouth sec
375	mL	(1½ tasse) d'eau froide
45	mL	(3 c. à soupe) de beurre
45	mL	(3 c. à soupe) de farine
125	mL	(½ tasse) de crème épaisse à la française*
		une pincée de fenouil
		jus de citron
		persil haché
		sel et poivre

Beurrer légèrement une sauteuse et y mettre les pétoncles, les champignons, l'échalote, la ciboulette, le fenouil, le vermouth, l'eau et le jus de citron; saler, poivrer. Couvrir la sauteuse avec un papier ciré et amener le liquide à ébullition.

Retirer la sauteuse du feu. Remuer et laisser mijoter le tout hors du feu de 3 à 4 minutes.

A l'aide d'une écumoire, retirer les pétoncles et les mettre de côté.

Placer la sauteuse sur l'élément du poêle et à feu vif faire bouillir le liquide de 3 à 4 minutes.

Faire fondre le beurre dans une petite casserole. Ajouter la farine, mélanger et poursuivre la cuisson à feu doux, pendant 2 minutes.

Ajouter le liquide de cuisson et bien mélanger le tout avec un fouet métallique. Verser la crème et continuer la cuisson à feu doux de 3 à 4 minutes.

Remettre les pétoncles dans la sauce. Assaisonner au goût. Arroser le tout de quelques gouttes de jus de citron.

Servir dans des coquilles. Parsemer de persil haché.

* Disponible dans certaines épiceries.

Coquilles Saint-Jacques à la bretonne
(pour 4 personnes)

454	g	(1 lb) de pétoncles frais
45	mL	(3 c. à soupe) de beurre
30	mL	(2 c. à soupe) d'échalote hachée
15	mL	(1 c. à soupe) de persil haché
30	mL	(2 c. à soupe) de ciboulette hachée
125	mL	(½ tasse) de grosse chapelure
		beurre fondu
		sel et poivre

Préchauffer le four à 200°C (400°F).

Faire fondre le beurre dans une poêle à frire. Ajouter les pétoncles et les faire cuire à feu très vif pendant 3 minutes.

Ajouter l'échalote, le persil et la ciboulette; saler, poivrer et faire cuire pendant 2 minutes.

Placer le mélange dans des coquilles; parsemer généreusement le tout de chapelure et arroser de beurre fondu.

Faire cuire au four sous le gril (broil) pendant 3 minutes.

Servir avec du citron.

Crêpes aux pétoncles

(pour 4 personnes)

Préparation des crêpes

250	mL	(1 tasse) de farine
3		oeufs
250	mL	(1 tasse) de lait froid
175	mL	(¾ tasse) d'eau
30	mL	(2 c. à soupe) d'huile végétale
		une pincée de sel

Tamiser la farine et le sel dans un bol. Ajouter les oeufs et mélanger le tout avec un fouet métallique. Ajouter le lait et l'eau; mélanger de nouveau. Ajouter l'huile et remuer le tout.

Passer la pâte à crêpe au tamis. Faire reposer la pâte 1 heure avant de l'utiliser (si possible).

A l'aide d'un papier essuie-tout, huiler une poêle à crêpe. Faire chauffer la poêle et y verser une petite louche de pâte à crêpe.

Avec une rotation du poignet, étendre la pâte et la faire cuire pendant 60 secondes.

Retourner la crêpe et continuer la cuisson. Répéter la même opération pour utiliser toute la pâte.

Préparation de la garniture

Note: Il faut compter 2 crêpes par personne.

350	g	(¾ lb) de pétoncles
114	g	(¼ lb) de champignons frais, lavés et coupés en deux
375	mL	(1½ tasse) d'eau
45	mL	(3 c. à soupe) de beurre
45	mL	(3 c. à soupe) de farine
300	mL	(1¼ tasse) de lait chaud
125	mL	(½ tasse) de fromage gruyère râpé
		paprika
		sel et poivre
		jus de citron

Préchauffer le four à 200°C (400° F).

Mettre les pétoncles, les champignons, l'eau et quelques gouttes de jus de citron dans une sauteuse. Saler, poivrer. Couvrir avec un papier ciré et amener le liquide à ébullition.

Retirer la sauteuse du feu. Laisser mijoter les pétoncles dans le liquide chaud pendant 3 minutes.

Retirer les pétoncles de la sauteuse et les mettre de côté. Conserver le liquide de cuisson.

Faire fondre le beurre dans une casserole. Ajouter la farine, mélanger et poursuivre la cuisson pendant 2 minutes.

Ajouter le liquide de cuisson et le lait chaud. Saler, poivrer et saupoudrer de paprika. Faire cuire la sauce de 7 à 8 minutes, à feu doux. Remettre les pétoncles dans la sauce; mélanger le tout.

Farcir les crêpes, les rouler et les placer dans un plat beurré allant au four.

Verser le reste de la sauce sur les crêpes et les parsemer de fromage râpé.

Faire dorer le tout au four de 5 à 6 minutes.

Servir.

Crêpes aux pétoncles et aux kiwis

Crêpes aux pétoncles et aux kiwis

(pour 4 personnes)

Préparation de la pâte à crêpe

250	mL	(1 tasse) de farine
		une pincée de sel
3		oeufs
250	mL	(1 tasse) de lait
250	mL	(1 tasse) d'eau tiède
60	mL	(4 c. à soupe) de beurre fondu

Tamiser la farine et le sel dans un bol. Ajouter les oeufs et le lait; mélanger le tout avec un fouet métallique.

Ajouter l'eau tiède. Passer le tout au tamis. Ajouter le beurre fondu; mélanger de nouveau. Réfrigérer pendant 1 heure.

A l'aide d'un papier essuie-tout, beurrer très légèrement une poêle à crêpe et la faire chauffer.

Verser une petite quantité de pâte dans la poêle pour couvrir complètement le fond. Faire cuire à feu moyen pendant 2 minutes. Retourner la crêpe et continuer la cuisson pendant 1 minute.

Préparation de la garniture

60	mL	(4 c. à soupe) de beurre
45	mL	(3 c. à soupe) de farine
454	g	(1 lb) de petits pétoncles
227	g	(½ lb) de champignons frais, lavés et coupés en 4
2		rondelles de citron
3		brins de persil
500	mL	(2 tasses) d'eau froide
50	mL	(¼ tasse) de crème épaisse à la française*
2		kiwis mûrs, pelés et coupés en tranches
125	mL	(½ tasse) de fromage gruyère râpé
		sel et poivre

Préchauffer le four à 200°C (400°F).

A l'aide d'un papier essuie-tout, beurrer une sauteuse. Ajouter les champignons, les pétoncles, les brins de persil, le citron et l'eau froide. Saler, poivrer et amener à ébullition.

Retirer la sauteuse du feu. Laisser le tout reposer dans le liquide chaud pendant 4 minutes.

À l'aide d'une écumoire, retirer les champignons et les pétoncles de la sauteuse. Mettre de côté.

Placer la sauteuse sur l'élément du poêle; faire bouillir le liquide de 8 à 10 minutes.

Faire fondre le reste du beurre dans une casserole; ajouter la farine, mélanger et poursuivre la cuisson pendant 2 minutes.

Verser le liquide de cuisson et la crème; mélanger le tout avec un fouet métallique. Assaisonner au goût et faire mijoter de 7 à 8 minutes. Ajouter les pétoncles et les champignons.

Farcir chaque crêpe avec le mélange et y ajouter une rondelle de kiwi coupée en deux. Rouler et placer les crêpes dans un plat beurré allant au four.

Verser la sauce sur les crêpes. Parsemer le tout de fromage râpé. Faire cuire au four sous le gril (broil) de 4 à 5 minutes. Servir.

* Disponible dans certaines épiceries.

Voir la technique en page suivante.

Technique des crêpes aux pétoncles et aux kiwis

1 Préparation de la pâte à crêpe: mettre la farine, le sel et les oeufs dans un bol.

2 Ajouter le lait; mélanger le tout avec un fouet métallique. Ajouter l'eau et le beurre fondu; mélanger de nouveau.

5 Ajouter l'eau, le persil et le citron et assaisonner. Amener à ébullition. A l'aide d'une écumoire, retirer les pétoncles et les champignons.

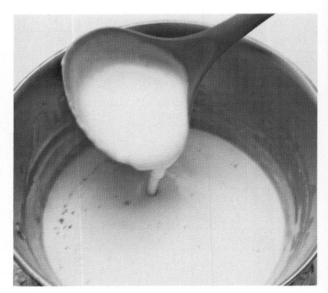

6 La sauce ne doit pas être trop épaisse.

3 Verser la pâte dans la poêle; faire cuire 2 minutes. Retourner la crêpe avec une spatule; continuer la cuisson pendant 1 minute.

4 Préparation de la garniture: mettre les champignons et les pétoncles dans une sauteuse beurrée.

7 Farcir les crêpes avec la garniture de pétoncles.

8 Ajouter les kiwis.

→

Technique des crêpes aux pétoncles et aux kiwis (suite)

9 Placer les crêpes roulées dans un plat beurré allant au four. Décorer le tout de rondelles de kiwi. Verser la sauce sur les crêpes.

10 Parsemer le tout de fromage râpé.

Pétoncles frits
(pour 4 personnes)

454 g	(1 lb) de pétoncles décongelés
15 mL	(1 c. à soupe) de persil haché
375 mL	(1½ tasse) de farine tout usage
3	oeufs battus
5 mL	(1 c. à thé) d'huile
500 mL	(2 tasses) de chapelure
	quelques gouttes de sauce Worcestershire
	quelques gouttes de jus de citron
	sel et poivre

Faire chauffer de l'huile d'arachide pour la friture à 180 °C (350 °F).

Mettre les pétoncles dans une assiette. Ajouter le persil, le jus de citron et la sauce Worcestershire; laisser mariner le tout au réfrigérateur pendant 15 minutes.

Mettre les oeufs dans un bol; ajouter quelques gouttes de jus de citron et l'huile et bien mélanger.

Rouler les pétoncles dans la farine, les tremper dans les oeufs battus et les enrober de chapelure. Plonger le tout dans la friture de 2 à 3 minutes.

Servir avec du citron ou une sauce tartare.

Pétoncles au poivre vert

(pour 4 personnes)

454	g	(1 lb) de pétoncles décongelés
227	g	(½ lb) de champignons frais, lavés et coupés en deux
30	mL	(2 c. à soupe) d'échalote hachée
15	mL	(1 c. à soupe) de persil haché
5	mL	(1 c. à thé) d'estragon
125	mL	(½ tasse) de vin blanc sec
375	mL	(1½ tasse) d'eau froide
30	mL	(2 c. à soupe) de grains de poivre vert
45	mL	(3 c. à soupe) de crème épaisse à la française*
45	mL	(3 c. à soupe) de beurre
45	mL	(3 c. à soupe) de farine
		jus de citron
		sel

Mettre le poivre vert dans un mortier; ajouter la crème et écraser le tout avec un pilon. Mettre de côté.

Mettre les pétoncles, les champignons, l'échalote, le persil, l'estragon, le vin et l'eau dans une sauteuse. Ajouter quelques gouttes de jus de citron; couvrir avec un papier ciré et amener le liquide à ébullition.

Retirer la sauteuse du feu et laisser mijoter les pétoncles dans le liquide chaud de 3 à 4 minutes.

A l'aide d'une écumoire, retirer les pétoncles et les mettre de côté.

Placer la sauteuse sur l'élément du poêle et faire chauffer le liquide à feu vif de 4 à 5 minutes.

Faire fondre le beurre dans une petite casserole. Ajouter la farine, mélanger pendant 2 minutes.

Ajouter le liquide de cuisson et le mélange de poivre vert; faire cuire à feu doux de 7 à 8 minutes.

Ajouter les pétoncles et faire mijoter le tout à feu très doux pendant 2 minutes. Servir.

*Disponible dans certaines épiceries.

Pétoncles, crevettes et palourdes à la dieppoise

(pour 4 personnes)

114	g	(¼ lb) de pétoncles
114	g	(¼ lb) de crevettes décortiquées et la veine noire retirée
24		palourdes (sans les écailles)
114	g	(¼ lb) de champignons frais, lavés et coupés en deux
15	mL	(1 c. à soupe) de persil haché
2		échalotes hachées
125	mL	(½ tasse) de vin blanc sec
375	mL	(1½ tasse) d'eau froide
45	mL	(3 c. à soupe) de beurre
45	mL	(3 c. à soupe) de farine
		jus de citron
		paprika
		poivre du moulin

Mettre les pétoncles, les crevettes, les palourdes, les champignons, le persil et les échalotes dans une sauteuse.

Ajouter le vin, l'eau, le jus de citron et le poivre; couvrir avec un papier ciré et amener le liquide à ébullition.

Retirer la sauteuse du feu et laisser mijoter le tout dans le liquide chaud de 3 à 4 minutes.

A l'aide d'une écumoire, retirer les pétoncles, les crevettes et les palourdes de la sauteuse et les mettre de côté.

Remettre la sauteuse sur l'élément du poêle et faire chauffer le liquide à feu vif de 4 à 5 minutes.

Faire fondre le beurre dans une petite casserole. Ajouter la farine et mélanger pendant 2 minutes.

Ajouter le liquide de cuisson, bien remuer et faire cuire de 7 à 8 minutes. Ajouter les crustacés, mélanger et faire mijoter pendant 3 minutes.

Arroser le tout de jus de citron. Saupoudrer de paprika. Servir.

Poissons

Filets d'aiglefin aux amandes et au kiwi

(pour 4 personnes)

Technique

1 Fariner les filets d'aiglefin des deux côtés.

4	filets d'aiglefin
250 mL	(1 tasse) de farine
5 mL	(1 c. à thé) de paprika
15 mL	(1 c. à soupe) d'huile
30 mL	(2 c. à soupe) de beurre
50 mL	(¼ tasse) d'amandes effilées
15 mL	(1 c. à soupe) de persil haché
1	kiwi, pelé et coupé en dés
	jus d'un citron
	sel et poivre

Fariner les filets de poisson des deux côtés. Assaisonner et saupoudrer de paprika.

Faire chauffer l'huile et 15 mL (1 c. à soupe) de beurre dans une poêle à frire. Ajouter les filets de poisson; faire cuire à feu moyen 3 à 4 minutes de chaque côté.

Dès que les filets sont cuits, les placer dans un plat de service et les tenir au chaud dans un four à 70 °C (150 °F).

Remettre la poêle sur l'élément. Faire fondre le reste du beurre. Ajouter les amandes et le persil; faire revenir une minute. Ajouter le kiwi, le jus de citron et assaisonner.

Verser le mélange sur les filets de poisson. Servir avec des légumes frais.

2 Faire cuire les filets de 3 à 4 minutes, à feu moyen.

3 Retourner les filets et continuer la cuisson.

4 Retirer les filets et les placer dans un plat de service. Faire fondre le beurre dans la poêle, ajouter les amandes et le persil.

5 Ajouter le kiwi.

Filets d'aiglefin aux tomates et au safran

(pour 4 personnes)

Technique

1 Mettre l'oignon et le céleri émincés dans une sauteuse. Ajouter le citron et le persil.

2	filets d'aiglefin, coupés en deux
1	oignon émincé
½	branche de céleri, émincée
1	rondelle de citron
2	brins de persil
1 L	(4 tasses) d'eau froide
1 mL	(¼ c. à thé) de safran
15 mL	(1 c. à soupe) d'huile
1	oignon haché
½	branche de céleri, coupée en dés
¼	de concombre anglais, coupé en dés
3	tomates, pelées et coupées en dés
125 mL	(½ tasse) de fromage gruyère râpé
	sel et poivre

Préchauffer le four à 200°C (400°F).

Mettre l'oignon et le céleri émincés dans une sauteuse. Ajouter le citron et le persil. Verser l'eau; saler, poivrer et ajouter le safran. Amener à ébullition et faire cuire 6 à 7 minutes.

Placer les filets de poisson dans le liquide chaud. Faire pocher à feu très doux de 7 à 8 minutes.

Retirer du feu et laisser refroidir. Retirer les filets du liquide et couper en escalopes. Mettre de côté.

Faire chauffer l'huile dans une sauteuse à feu moyen. Ajouter l'oignon haché, le céleri et le concombre. Saler, poivrer; faire cuire de 3 à 4 minutes.

Ajouter les tomates. Assaisonner au goût; faire cuire à feu doux 10 à 12 minutes. Ajouter le poisson. Verser le tout dans un plat allant au four.

Parsemer de fromage râpé. Faire cuire au four sous le gril (broil) de 3 à 4 minutes. Servir.

2 Ajouter l'eau et le safran; amener à ébullition. Faire bouillir 6 à 7 minutes. Ajouter les filets de poisson; faire pocher à feu doux.

3 Faire sauter l'oignon, le céleri et le concombre.

4 Ajouter les tomates.

5 Ajouter les escalopes de poisson. →

Technique des filets d'aiglefin aux tomates et au safran (suite)

6 Ajouter le fromage.

Filets d'aiglefin aux champignons *(pour 4 personnes)*

2	filets d'aiglefin, coupés en deux
250 mL	(1 tasse) de farine
30 mL	(2 c. à soupe) d'huile
30 mL	(2 c. à soupe) de beurre
114 g	(¼ lb) de champignons frais, lavés et émincés
15 mL	(1 c. à soupe) de persil haché
	jus de citron
	asperges cuites pour la garniture
	sel et poivre

Saler, poivrer la farine. Enfariner les filets de poisson. Mettre de côté.

Faire chauffer l'huile et 15 mL (1 c. à soupe) de beurre dans une poêle à frire. Lorsque le mélange est chaud, ajouter les filets de poisson; faire cuire 3 à 4 minutes de chaque côté.

Dès que le poisson est cuit, le placer dans un plat allant au four. Tenir au chaud dans un four à 70°C (150°F).

Remettre la poêle sur le feu. Ajouter le reste du beurre et faire fondre. Ajouter les champignons. Saler, poivrer; faire cuire 4 minutes.

Ajouter le persil haché et le jus de citron. Verser le mélange sur les filets. Garnir d'asperges. Servir.

Matelote d'anguille

(pour 4 personnes)

907 g	(2 lb) d'anguille
1	oignon haché
114 g	(¼ lb) de porc non salé, coupé en dés
375 mL	(1½ tasse) de vin rouge sec, chaud
375 mL	(1½ tasse) de bouillon de poulet léger, chaud
250 mL	(1 tasse) de petits oignons blancs
114 g	(¼ lb) de champignons frais, lavés et coupés en deux
30 mL	(2 c. à soupe) de beurre
45 mL	(3 c. à soupe) de farine
	persil haché
	sel et poivre

Retirer la peau et couper la tête de l'anguille; évider et laver.

Couper l'anguille en tronçons de 2,5 cm (1 po) de longueur.

Mettre les dés de porc dans une sauteuse et les faire revenir pendant 2 minutes.

Ajouter l'anguille et l'oignon haché; saler, poivrer et faire dorer de 8 à 10 minutes. Retirer et mettre de côté.

Mettre le beurre dans la sauteuse. Ajouter la farine; mélanger le tout et faire brunir pendant 3 minutes.

Ajouter le vin rouge et le bouillon de poulet. Assaisonner au goût et faire cuire à feu doux pendant 18 minutes.

Ajouter les petits oignons et l'anguille, faire cuire pendant 30 minutes.

Dix minutes avant la fin de la cuisson, ajouter les champignons.

Parsemer le tout de persil haché. Servir avec du pain français grillé.

Bar au four

(pour 4 personnes)

1	bar de 1,8 kg (4 lb), nettoyé
50 mL	(¼ tasse) de beurre clarifié
4	branches de persil frais
1	feuille de laurier
	fenouil frais (si possible)
	jus de citron
	sel et poivre

Préchauffer le four à 190° C (375° F).

Temps de cuisson: 15 minutes par livre.

Faire des incisions, en biais, de 0,63 cm (¼ po) de profondeur sur le dos du poisson.

Saler, poivrer l'intérieur du poisson et y mettre le persil, le fenouil et la feuille de laurier.

Placer le poisson dans un plat à rôtir chaud. Arroser le tout de beurre clarifié et de jus de citron; faire cuire au four sans couvrir.

Pendant la cuisson, retourner le poisson 1 ou 2 fois et le badigeonner 2 ou 3 fois.

Servir avec du jus de citron.

Beurre clarifié

Mettre 227 g (½ lb) de beurre doux dans un bol en acier inoxydable et le placer sur une casserole contenant de l'eau bouillante.

Faire fondre le beurre à feu moyen.

A l'aide d'une cuillère, écumer le beurre.

Verser le beurre dans une passoire recouverte d'une mousseline à fromage.

On peut conserver le beurre clarifié au réfrigérateur.

Brochet au beurre blanc

Brochet au beurre blanc

(pour 4 personnes)

Recette de la Vallée de la Loire

1	brochet entier, nettoyé
750 mL	(3 tasses) de vin blanc Muscadet
500 mL	(2 tasses) d'eau froide
1	feuille de laurier
4	branches de persil
2	carottes, pelées et émincées
1	oignon émincé
60 mL	(4 c. à soupe) de vinaigre d'estragon
2	échalotes hachées
227 g	(½ lb) de beurre doux
	jus de citron
	sel et poivre

Verser le vin et l'eau dans une poissonnière. Ajouter la feuille de laurier, le persil, les carottes et l'oignon. Saler, poivrer et amener le tout à ébullition.
Ajouter le brochet. Réduire la chaleur à feu très doux; faire cuire le tout 15 minutes ou selon la grosseur du poisson.

Préparation de la sauce

Mettre le vinaigre et les échalotes dans un bol en acier inoxydable. Saler, poivrer et faire chauffer pour faire évaporer complètement le liquide.
Retirer le bol du feu. Ajouter 50 mL (¼ tasse) de beurre; mélanger le tout pour faire mousser le beurre.
Ajouter le reste du beurre, en petits morceaux, tout en remuant constamment avec un fouet métallique.
Assaisonner au goût et ajouter 3 gouttes de jus de citron.
Retirer le brochet du liquide de cuisson et égoutter.
Servir le brochet avec la sauce.

Brochet farci au riz

(pour 4 personnes)

1	brochet de 1,36 à 1,8 kg (3 à 4 lb), nettoyé et lavé

Préchauffer le four à 180° C (350° F).
Assécher le brochet. Saler, poivrer l'intérieur. Mettre de côté.*

Préparation de la farce

15 mL	(1 c. à soupe) de beurre
1	petit concombre, pelé, épépiné et haché
1	petit oignon haché
375 mL	(1½ tasse) de riz blanc cuit
2	oeufs durs hachés
15 mL	(1 c. à soupe) de persil haché
60 mL	(4 c. à soupe) de beurre fondu
	sel et poivre

→

Brochet farci au riz (suite)

Faire fondre le beurre dans une sauteuse. Ajouter l'oignon et le concombre; faire cuire de 3 à 4 minutes.

Ajouter le riz blanc, mélanger et faire cuire 2 minutes.

Retirer du feu. Ajouter le reste des ingrédients; bien mélanger.

Farcir le brochet et le ficeler.

Placer le poisson dans un plat allant au four et le badigeonner de beurre fondu.

Faire cuire le poisson au four de 35 à 40 minutes. Servir avec une sauce au raifort.

Préparation de la sauce au raifort

30 mL	(2 c. à soupe) de beurre
30 mL	(2 c. à soupe) de raifort
30 mL	(2 c. à soupe) de farine
375 mL	(1½ tasses) de bouillon de poisson chaud **
50 mL	(¼ tasse) de crème épaisse à la française ***
	sel et poivre
	jus de citron
	paprika

Faire fondre le beurre dans une petite casserole. Ajouter le raifort; faire mijoter 2 minutes.

Ajouter la farine; bien mélanger le tout. Ajouter le bouillon de poisson; mélanger de nouveau.

Verser la crème, assaisonner au goût. Faire cuire à feu doux de 7 à 8 minutes. Servir.

* Pour introduire plus de farce dans le poisson, on peut retirer l'arête dorsale.

** Voir la recette à la page 26.

*** La crème épaisse à la française ne se trouvant pas dans tous les magasins d'alimentation, on peut la remplacer par de la crème à 35%.

Technique

1 Faire fondre le beurre. Ajouter l'oignon et le concombre; faire cuire 3 ou 4 minutes.

4 Farcir et ficeler le brochet.

2 Ajouter le riz cuit; mélanger et faire cuire 2 minutes.

3 Retirer du feu. Ajouter les oeufs durs hachés et le reste des ingrédients; bien mélanger.

5 Sauce au raifort: mettre le beurre et le raifort dans une casserole; faire mijoter 2 minutes.

6 Ajouter la farine; bien mélanger. →

Technique (suite)

7 Ajouter le bouillon de poisson; mélanger de nouveau.

8 Ajouter la crème.

Brochet farci à l'oignon et aux champignons

(pour 4 personnes)

Préparation de la farce

45 mL	(3 c. à soupe) de beurre
1	oignon haché
2	gousses d'ail, écrasées et hachées
30 mL	(2 c. à soupe) de persil haché
114 g	(¼ lb) de champignons frais, lavés et hachés
3	tranches de pain blanc, coupées en dés
1 mL	(¼ c. à thé) de fenouil
1	oeuf
	sel et poivre

Faire fondre le beurre dans une sauteuse à feu moyen. Ajouter l'oignon, l'ail et le persil; faire revenir de 4 à 5 minutes.

Ajouter les champignons et continuer la cuisson pendant 3 minutes.

Ajouter les morceaux de pain, mélanger et assaisonner au goût. Ajouter le fenouil et prolonger la cuisson de 3 minutes.

Retirer la sauteuse du feu et verser le mélange dans un bol. Ajouter l'oeuf et bien mélanger la farce.

Cuisson du brochet

1	brochet de 1,4 kg (3 lb), nettoyé
1	oignon d'Espagne, émincé
500 mL	(2 tasses) de vin blanc sec
30 mL	(2 c. à soupe) de beurre, en morceaux
50 mL	(¼ tasse) de grosse chapelure
	sel et poivre
	farce

Préchauffer le four à 190 °C (375 °F).
Temps de cuisson: 15 minutes par livre.

Laver le brochet et l'assécher. Saler, poivrer l'intérieur du poisson et le farcir. Ficeler le brochet.

Mettre la moitié de l'oignon dans un plat allant au four, y placer le brochet farci et le recouvrir avec le reste de l'oignon émincé.

Ajouter le beurre et parsemer le tout de chapelure. Saler, poivrer et faire cuire au four. A toutes les dix minutes, arroser le poisson de vin blanc.

Dès que le poisson est cuit, le retirer du four et le placer sur un plat de service chaud.

Mettre le plat de cuisson sur l'élément du poêle et faire chauffer l'oignon et le vin de 4 à 5 minutes.

Passer le tout au tamis et servir avec le poisson.

Carpe grillée, sauce aux oeufs
(pour 4 personnes)

Préparation de la sauce

30 mL	(2 c. à soupe) de beurre
30 mL	(2 c. à soupe) de farine
300 mL	(1¼ tasse) de bouillon de poulet chaud
2	jaunes d'oeufs
30 mL	(2 c. à soupe) de crème épaisse à la française*
15 mL	(1 c. à soupe) de persil haché
	jus de citron
	sel et poivre

Faire fondre le beurre dans une casserole. Ajouter la farine, mélanger et faire cuire pendant 2 minutes.

Ajouter le bouillon de poulet chaud; mélanger le tout. Ajouter quelques gouttes de jus de citron; faire mijoter à feu doux pendant quelques minutes. Saler, poivrer.

Dans un bol, mélanger les jaunes d'oeufs et la crème. Incorporer le mélange à la sauce et faire mijoter le tout de 4 à 5 minutes. (Ne pas faire bouillir la sauce.)

Ajouter le persil haché, remuer et verser sur les filets de poisson. Servir.

Préparation de la carpe

1	carpe de 2,3 kg (5 lb), en filets
30 mL	(2 c. à soupe) de beurre clarifié** ou fondu
5 mL	(1 c. à thé) de jus de citron
1 mL	(¼ c. à thé) de fenouil
	poivre du moulin

Préchauffer le four à 200 °C (400 °F).

Placer les filets dans un plat de service allant au four.

Mélanger le beurre fondu, le jus de citron, le poivre et le fenouil.

Verser le mélange sur les filets de carpe et laisser reposer le tout de 7 à 8 minutes.

Placer le plat au four, à 13 cm (5 po) de l'élément supérieur. Si nécessaire, placer un moule à tarte sous le plat pour le surélever.

Faire cuire le tout de 8 à 9 minutes de chaque côté selon l'épaisseur des filets.

Retirer les filets du four et servir avec la sauce aux oeufs.

*Disponible dans certaines épiceries.
**Voir la recette à la page 89.

Carpe grillée sur charbons de bois

(pour 4 personnes)

4	filets de carpe
45 mL	(3 c. à soupe) d'huile d'olive
1 mL	(¼ c. à thé) de fenouil
5 mL	(1 c. à thé) de sauce Worcestershire
5 mL	(1 c. à thé) de vinaigre de vin
	jus d'un citron
	sel et poivre

Allumer le barbecue 30 minutes à l'avance.

Retirer la peau des filets de carpe. Saler, poivrer les filets.

Dans un bol, mettre l'huile, le fenouil, le citron, la sauce Worcestershire et le vinaigre; mélanger le tout.

Verser le mélange sur les filets de carpe et laisser mariner le tout pendant 15 minutes.

Placer les filets de poisson sur la grille du barbecue. Ne pas placer la grille trop près des charbons de bois pour éviter que l'huile coule sur les charbons et fume.

Faire cuire les filets de 5 à 6 minutes de chaque côté. Servir avec un beurre maître d'hôtel.

Beurre maître d'hôtel

45 mL	(3 c. à soupe) de beurre doux
15 mL	(1 c. à soupe) de ciboulette hachée
5 mL	(1 c. à thé) de persil haché
	jus de citron
	sel et poivre

Mettre tous les ingrédients dans une casserole, mélanger et faire cuire pendant 2 minutes.

Verser sur les filets de poisson. Servir.

Filets de carpe aux raisins

(pour 4 personnes)

30 mL	(2 c. à soupe) de beurre
30 mL	(2 c. à soupe) de persil haché
2	échalotes hachées
4	gros filets de carpe
375 mL	(1 ½ tasse) de vin blanc sec
5 mL	(1 c. à thé) de jus de citron
250 mL	(1 tasse) de bouillon de poisson*
375 mL	(1 ½ tasse) de raisins sans pépin
125 mL	(½ tasse) de crème épaisse à la française**
	sel et poivre

Préchauffer le four à 180 °C (350 °F).

Beurrer un plat allant au four et le parsemer de persil et d'échalotes.

Placer les filets sur les échalotes. Saler, poivrer et arroser le tout de jus de citron.

Verser le vin blanc et le bouillon de poisson; amener à ébullition. Couvrir et faire cuire au four de 12 à 15 minutes selon la grosseur des filets.

Dès que les filets sont cuits, les retirer et les placer sur un plat de service.

Verser le liquide de cuisson dans une casserole et l'amener à ébullition; faire réduire de 7 à 8 minutes.

Ajouter la crème et les raisins; faire cuire de 3 à 4 minutes.

Verser la sauce sur les filets de carpe. Servir.

*Voir la recette à la page 26.
**Disponible dans certaines épiceries.

Corégone farci

(pour 4 personnes)

1	corégone de 1,6 à 1,8 kg (3½ à 4 lb)
30 mL	(2 c. à soupe) de beurre
2	échalotes hachées
30 mL	(2 c. à soupe) d'oignon haché
30 mL	(2 c. à soupe) de céleri haché
125 mL	(½ tasse) de chair de crabe
125 mL	(½ tasse) de crevettes hachées
15 mL	(1 c. à soupe) de persil haché
125 mL	(½ tasse) de grosse chapelure
1	oeuf battu
	une pincée d'estragon
	une pincée de fenouil
	sel et poivre
	beurre fondu et jus de citron pour badigeonner le poisson

Préchauffer le four à 180° C (350° F).

Retirer l'arête dorsale pour pouvoir introduire plus de farce dans le poisson. Saler, poivrer l'intérieur du poisson. Mettre de côté.

Faire fondre le beurre dans une sauteuse à feu moyen. Ajouter les échalotes, l'oignon et le céleri; faire revenir le tout de 2 à 3 minutes.

Ajouter les crevettes, la chair de crabe et les épices; mélanger et faire cuire pendant 3 minutes. Saler et poivrer.

Ajouter la chapelure et mélanger de nouveau. Retirer la sauteuse du feu. Ajouter l'oeuf et mélanger le tout rapidement.

Farcir le poisson et le ficeler.

Mélanger le beurre fondu et le jus de citron. Badigeonner le poisson avec le mélange et le placer dans un plat huilé allant au four.

Faire cuire le poisson en comptant 15 minutes par livre. Badigeonner 2 ou 3 fois pendant la cuisson.

Dès que le poisson est cuit, le retirer du four et le placer dans un plat de service. Arroser le tout de jus de citron et de beurre fondu.

Servir.

Corégone sauté au beurre

(pour 4 personnes)

Technique

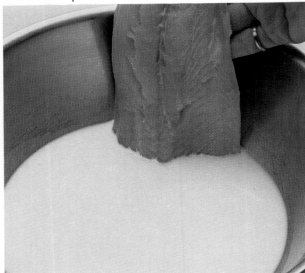

1. Saler, poivrer les filets de poisson et les tremper dans le lait.

4	filets de corégone
250 mL	(1 tasse) de lait
250 mL	(1 tasse) de farine
45 mL	(3 c. à soupe) de beurre
15 mL	(1 c. à soupe) d'huile végétale
15 mL	(1 c. à soupe) de persil haché
	quelques gouttes de jus de citron
	sel et poivre

Préchauffer le four à 190 °C (375 °F).

Saler, poivrer les filets de poisson, les tremper dans le lait et les enrober de farine. Mettre de côté.

Faire chauffer l'huile et 15 mL (1 c. à soupe) de beurre dans une poêle à frire à feu moyen. Ajouter les filets de poisson et les faire cuire de 3 à 4 minutes de chaque côté.

Dès que les filets sont cuits, les retirer et les placer dans un plat de service chaud.

Faire fondre le reste du beurre dans la poêle. Ajouter le persil et le jus de citron; faire cuire pendant 1 minute.

Verser sur les filets de poisson. Servir.

3. Faire cuire le poisson dans l'huile chaude.

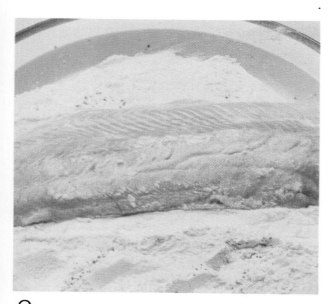

2 Enrober les filets de farine.

4 Retirer le poisson de la poêle. Ajouter le beurre, le persil et le jus de citron dans la poêle chaude.

Corégone grillé au beurre à l'échalote

(pour 4 personnes)

4	filets de corégone
50 mL	(¼ tasse) d'huile d'olive
15 mL	(1 c. à soupe) de persil haché
5 mL	(1 c. à thé) de sauce soya
	jus de citron
	sel et poivre
	tranches de citron pour la présentation

Préchauffer le four à 200 °C (400 °F).

Placer les filets de poisson dans un plat allant au four.

Mettre l'huile, le persil, la sauce soya et le jus de citron dans un bol; mélanger le tout.

Verser le mélange sur les filets de poisson et laisser mariner pendant 30 minutes.

Faire cuire le tout au four, à 15 cm (6 po) de l'élément supérieur, de 7 à 8 minutes de chaque côté selon la grosseur.

Dès que les filets sont cuits, les retirer et les placer dans un plat de service. Tenir au chaud.

Préparation du beurre à l'échalote

45 mL	(3 c. à soupe) de beurre mou
5 mL	(1 c. à thé) d'échalote hachée
5 mL	(1 c. à thé) de persil haché
	jus de citron
	poivre du moulin

Mettre tous les ingrédients dans une petite casserole; faire chauffer pendant 2 minutes.

Verser sur les filets de poisson. Servir.

Filets de doré à l'huile de sésame

Filets de doré à l'huile de sésame

(pour 4 personnes)

4	filets de doré
30 mL	(2 c. à soupe) d'huile de sésame
30 mL	(2 c. à soupe) d'huile végétale
30 mL	(2 c. à soupe) de farine tout usage
45 mL	(3 c. à soupe) de sherry
2	oignons verts coupés en bâtonnets
	jus de citron
	sel et poivre

Verser l'huile de sésame dans un petit bol. Ajouter la farine et le sherry. Saler, poivrer.

Badigeonner les filets avec le mélange.

Faire chauffer l'huile végétale dans une poêle à frire à feu très vif. Ajouter les filets de poisson; faire cuire 3 minutes de chaque côté.

Une minute avant la fin de la cuisson, ajouter les oignons verts. Arroser le tout de jus de citron. Servir.

Filets de doré à l'aubergine *(pour 4 personnes)*

50 mL	(¼ tasse) d'huile d'olive
4	filets de doré
250 mL	(1 tasse) de farine
1	grosse aubergine non pelée, coupée en rondelles, enfarinées, salées et poivrées
	jus d'un citron
	persil haché
	sel et poivre

Saler, poivrer les filets de poisson, les enfariner et les secouer légèrement pour retirer l'excès de farine.

Faire chauffer 22 mL (1½ c. à soupe) d'huile dans une poêle. Ajouter les filets; faire cuire 3 minutes de chaque côté.

Retirer les filets de la poêle et les mettre dans un plat de service. Tenir au chaud dans un four à 70° C (150° F).

Verser le reste de l'huile dans une poêle et la faire chauffer à feu très vif. Ajouter les tranches d'aubergine enfarinées; faire cuire 3 minutes de chaque côté.

Disposer les tranches d'aubergine autour des filets de poisson. Parsemer le tout de persil haché. Arroser de jus de citron. Servir.

Filets de doré à l'italienne

Filets de doré
à l'italienne

(pour 4 personnes)

4	filets de doré
15 mL	(1 c. à soupe) d'huile
15 mL	(1 c. à soupe) de beurre
125 mL	(½ tasse) de farine
2	tomates, pelées et coupées en dés
1	échalote hachée
5 mL	(1 c. à thé) de persil haché
375 mL	(1½ tasse) de champignons frais, lavés et coupés en dés
	jus d'un citron
	sel et poivre

Saler, poivrer les filets de poisson et les enfariner.

Faire chauffer le beurre et l'huile dans une poêle à frire. Ajouter les filets de poisson; faire cuire 3 minutes de chaque côté.

Dès que les filets sont cuits, les retirer et les placer dans un plat de service. Tenir au chaud dans un four à 70° C (150° F).

Remettre la poêle sur l'élément; ajouter l'échalote et les champignons, et faire cuire 3 minutes à feu moyen.

Ajouter les tomates, saler et poivrer. Faire cuire 3 à 4 minutes à feu vif.

Verser le mélange sur les filets. Arroser le tout de jus de citron et parsemer de persil haché. Servir.

Doré au four
mariné à l'huile

(pour 4 personnes)

1	doré de 1,4 kg (3 lb), nettoyé
250 mL	(1 tasse) d'huile
2	gousses d'ail, écrasées et hachées
	sel et poivre
	jus de citron

Préchauffer le four à 190° C (375° F).

Temps de cuisson: 15 minutes par livre.

Faire des incisions, en biais, de 0,63 cm (¼ po) de profondeur sur le dos du poisson.

Saler, poivrer l'intérieur du poisson et le placer dans un plat creux.

Mélanger le jus de citron, l'huile et l'ail dans un bol. Verser le mélange sur le poisson et laisser mariner le tout de 2 à 3 heures au réfrigérateur.

Transférer le poisson dans un plat chaud allant au four, l'arroser de marinade et le faire cuire au four.

Retourner le poisson et l'arroser de marinade une fois pendant la cuisson.

Dès que le poisson est cuit, le retirer du four.

Servir avec un beurre maître d'hôtel*.

*Voir la recette à la page 96.

Flétan à la dieppoise

Flétan à la dieppoise
(pour 4 personnes)

2	filets de flétan
50 mL	(¼ tasse) de beurre fondu
1	poireau, le blanc seulement, lavé et émincé
24	crevettes crues, décortiquées
2	oignons verts hachés
	jus de citron
	sel et poivre

Préchauffer le four à 190° C (375° F).

Placer les filets de flétan dans un plat oval allant au four. Saler, poivrer et badigeonner de beurre fondu.

Arroser le tout de jus de citron. Couvrir avec un papier d'aluminium et faire cuire au four de 16 à 18 minutes. Retourner le poisson une fois pendant la cuisson.

Faire fondre le reste du beurre dans une poêle à frire. Ajouter les crevettes, le poireau et les oignons; saler, poivrer et faire cuire à feu vif de 3 à 4 minutes.

Arroser le tout de quelques gouttes de jus de citron.

Retirer le poisson du four et le placer dans un plat de service.

Verser le jus de cuisson sur les légumes; remuer le tout.

Napper les filets de poisson de la préparation de légumes et crevettes. Servir.

Casserole de flétan
(pour 4 personnes)

Préparation de la casserole

500 mL	(2 tasses) de sauce blanche chaude
5 mL	(1 c. à thé) de muscade
15 mL	(1 c. à soupe) de beurre ou de margarine
114 g	(¼ lb) de champignons frais, lavés et entiers
3	steaks de flétan cuits (sans les arêtes), en morceaux
15 mL	(1 c. à soupe) de persil haché
50 mL	(¼ tasse) de fromage gruyère râpé
	jus de citron, sel et poivre

Préchauffer le four à 200° C (400° F).

Faire fondre le beurre dans une sauteuse. Ajouter les champignons et le persil; faire cuire pendant 3 minutes.

Ajouter les morceaux de flétan; mélanger le tout.

Ajouter la sauce blanche et la muscade; saler et poivrer; remuer et verser le tout dans une casserole beurrée allant au four.

Parsemer de fromage râpé.

Faire dorer au four sous le gril (broil) de 3 à 4 minutes. Arroser de jus de citron. Servir.

Préparation de la sauce blanche

60 mL	(4 c. à soupe) de beurre
60 mL	(4 c. à soupe) de farine
1 L	(4 tasses) de lait chaud
1	oignon piqué d'un clou de girofle
	une pincée de muscade
	sel et poivre blanc

Faire fondre le beurre dans une casserole à feu moyen. Ajouter la farine; faire cuire, sans couvrir, pendant 5 minutes tout en remuant constamment.

Retirer la casserole du feu. Ajouter 250 mL (1 tasse) de lait chaud; bien mélanger le tout avec une cuillère en bois.

Remettre la casserole sur l'élément du poêle à feu doux. Ajouter le reste du lait chaud tout en remuant constamment avec un fouet métallique.

Ajouter l'oignon; saler, poivrer et ajouter la muscade. Laisser mijoter la sauce, sans couvrir, pendant 30 minutes. Remuer la sauce de temps en temps.

Enlever l'oignon avant d'utiliser la sauce.

Flétan à la paysanne

Flétan à la paysanne

(pour 4 personnes)

15 mL	(1 c. à soupe) de beurre ou de margarine
2	pommes de terre, pelées et coupées en dés
1	carotte, pelée et coupée en dés
1	branche de céleri, coupée en dés
4	steaks de flétan de 2 cm (¾ po) d'épaisseur
750 mL	(3 tasses) de bouillon de poisson chaud *
15 mL	(1 c. à soupe) de persil haché
1 mL	(¼ c. à thé) de fenouil
30 mL	(2 c. à soupe) de fécule de maïs
45 mL	(3 c. à soupe) d'eau froide
	jus de citron
	sel et poivre

Faire fondre le beurre dans une sauteuse ou un plat pouvant contenir les 4 steaks de flétan. Ajouter tous les légumes et les fines herbes; faire cuire de 3 à 4 minutes.

Saler, poivrer. Ajouter les steaks de flétan, le bouillon de poisson chaud et assaisonner au goût; couvrir et amener le liquide à ébullition.

Réduire la chaleur et continuer la cuisson de 10 à 12 minutes selon l'épaisseur des steaks. Retourner le poisson une fois durant la cuisson.

Dès que le poisson est cuit, le placer sur un plat de service. Tenir au chaud.

Remettre la sauteuse contenant le liquide de cuisson sur l'élément du poêle et faire chauffer le tout de 6 à 7 minutes.

Délayer la fécule de maïs dans l'eau froide. Incorporer le mélange au liquide; bien remuer.

Verser la sauce et les légumes sur les steaks de flétan. Servir avec du jus de citron.

* Voir la recette à la page 26.

Technique

1 Mettre les légumes dans une sauteuse beurrée. Ajouter les fines herbes.

2 Voici les légumes après 3 minutes de cuisson.

→

Technique du flétan à la paysanne (suite)

3   Ajouter les steaks de flétan.

4   Verser le bouillon ou le fond de poisson.

5   Retirer le poisson de la sauteuse. Mettre de côté. Verser le mélange de fécule de maïs dans le liquide de cuisson.

6   Avant de servir, retirer l'arête centrale du flétan.

Flétan poché, sauce mousseline

(pour 4 personnes)

Préparation de la sauce mousseline

2	jaunes d'oeufs
5 mL	(1c. à thé) de jus de citron
250 mL	(1 tasse) de beurre clarifié**
1	blanc d'oeuf monté en neige pas trop ferme
	jus de citron
	sel et poivre

Mettre les jaunes d'oeufs dans un bol en acier inoxydable. Ajouter le jus de citron; mélanger le tout.

Placer le bol dans une casserole contenant de l'eau chaude. Mélanger les jaunes pendant 30 secondes avec un fouet métallique.

Ajouter le beurre clarifié, en filet, tout en mélangeant constamment avec le fouet métallique. Saler, poivrer.

Retirer du feu délicatement. Juste avant de servir, ajouter le blanc d'oeuf.

* Voir la recette à la page 26.
** Voir la recette à la page 89.

4	steaks de flétan
1 L	(4 tasses) d'eau ou bouillon de poisson*
3	branches de persil
1	feuille de laurier
375 mL	(1 ½ tasse) de sauce mousseline
	jus de ¼ de citron
	quelques graines de fenouil
	sel et poivre

Placer les steaks de flétan dans un plat oval. Ajouter l'eau, saler et poivrer.

Ajouter tous les autres ingrédients, sauf la sauce mousseline. Placer le plat sur l'élément du poêle; amener le liquide à ébullition à feu très moyen.

Dès que le liquide commence à bouillir, retirer le plat du feu et laisser mijoter le poisson dans le liquide chaud de 8 à 10 minutes.

Retirer les steaks de flétan. A l'aide d'une fourchette, retirer les arêtes et la peau.

Placer les steaks sur un plat de service chaud. Napper de sauce mousseline.

Garnir de rondelles de citron. Servir.

1 Placer les steaks de flétan dans un plat ovale. Ajouter l'eau; saler, poivrer. Ajouter les autres ingrédients, sauf la sauce mousseline, et faire cuire le tout.

→

Technique du flétan poché, sauce mousseline (suite)

2 Mettre les jaunes d'oeufs dans un bol en acier inoxydable.

3 Ajouter le beurre clarifié, en filet, tout en mélangeant constamment avec un fouet métallique.

4 Avant de servir, ajouter le blanc d'oeuf battu.

5 Voici la consistance de la sauce mousseline.

Flétan aux tomates

(pour 4 personnes)

4	steaks de flétan
5 mL	(1 c. à thé) de beurre
1	échalote hachée
1	gousse d'ail, écrasée et hachée
125 mL	(½ tasse) de vin blanc sec
1	boîte de tomates de 796 mL (28 oz), égouttées et hachées
15 mL	(1 c. à soupe) de persil haché
	jus de citron
	fenouil (au goût)
	sel et poivre

Préchauffer le four à 70° C (150° F).

Placer les steaks de flétan dans une sauteuse beurrée. Saler, poivrer.

Ajouter tous les autres ingrédients. Amener le tout à ébullition sur l'élément du poêle. Retourner les steaks une fois pendant la cuisson.

Laisser mijoter à feu très doux de 4 à 5 minutes pour finir la cuisson des steaks de flétan.

Retirer les steaks de flétan de la sauteuse et les déposer sur un plat de service. Tenir au chaud dans le four.

Remettre la sauteuse sur l'élément; faire cuire la sauce de 4 à 5 minutes. Assaisonner au goût.

Verser la sauce sur les filets de flétan. Servir.

Flétan sauté aux champignons

(pour 4 personnes)

4	steaks de flétan
250 mL	(1 tasse) de farine tout usage
15 mL	(1 c. à soupe) d'huile
30 mL	(2 c. à soupe) de margarine
114 g	(¼ lb) de champignons frais, lavés et émincés
15 mL	(1 c. à soupe) de persil haché
50 mL	(¼ tasse) de bouillon de poulet chaud
	jus de citron
	sel et poivre

Préchauffer le four à 70° C (150° F).

Saler, poivrer les steaks de flétan et les enfariner. Mettre de côté.

Faire chauffer l'huile et 15 mL (1 c. à soupe) de margarine dans une poêle à frire à feu moyen. Ajouter les steaks de flétan et les faire cuire 3 minutes de chaque côté.

Réduire l'élément à feu doux et continuer la cuisson de 4 à 5 minutes.

Dès que les steaks de flétan sont cuits, les retirer et les mettre sur un plat de service. Tenir au chaud dans le four.

Faire fondre le reste de la margarine dans la poêle. Ajouter les champignons et le persil; mélanger et faire cuire de 3 à 4 minutes.

Ajouter le jus de citron et le bouillon de poulet chaud; remuer et faire cuire pendant 3 minutes.

Verser sur les steaks de flétan. Servir.

Steaks de flétan à la provençale

(pour 4 personnes)

Amener tous les ingrédients du court-bouillon à ébullition dans une grande casserole. Réduire la chaleur et continuer la cuisson de 10 à 12 minutes.

Ajouter les steaks de flétan et les faire pocher à feu très doux de 8 à 10 minutes.

Retirer les steaks de flétan de la casserole et les placer sur un plat de service. Ajouter un peu de bouillon de cuisson; couvrir avec un papier d'aluminium et tenir au chaud dans un four à 70 °C (150 °F).

Deuxième partie

3	gousses d'ail, écrasées et réduites en purée (si possible)
4	jaunes d'oeufs
125 mL	(½ tasse) d'huile d'olive
	quelques gouttes de jus de citron
	sel et poivre

Mettre la purée d'ail et 2 jaunes d'oeufs dans un petit bol; mélanger le tout avec un petit fouet métallique.

Ajouter l'huile, goutte à goutte, tout en mélangeant constamment pour faire épaissir la sauce.

Arroser le tout de jus de citron.

Mettre 2 jaunes d'oeufs dans une petite casserole. Ajouter 125 mL (½ tasse) du liquide de cuisson; bien mélanger. Faire épaissir le tout sur l'élément du poêle.

Dès que le mélange commence à épaissir, ajouter la sauce à l'ail; saler, poivrer et mélanger le tout délicatement.

Retirer les steaks de flétan du four et les napper de sauce.

Servir avec du pain à l'ail.

Première partie

4	steaks de flétan

Ingrédients du court-bouillon

1	oignon émincé
1	petit poireau (le blanc seulement), lavé et émincé
2	feuilles de laurier
3	branches de persil
30 mL	(2 c. à soupe) de zeste d'orange
45 mL	(3 c. à soupe) de vinaigre de vin
1 mL	(¼ c. à thé) de fenouil
1 à 1,2 L	(4 à 5 tasses) d'eau froide
	jus d'un citron
	sel et poivre en grain

Steaks de flétan à la crème sure

(pour 4 personnes)

4	steaks de flétan
15 mL	(1 c. à soupe) de persil haché
15 mL	(1 c. à soupe) de ciboulette hachée
2	échalotes hachées
4	rondelles de citron
30 mL	(2 c. à soupe) de beurre
125 mL	(½ tasse) de crème sure
	jus de citron
	sel et poivre

Préchauffer le four à 200°C (400°F).

Placer une grande feuille de papier d'aluminium dans un plat allant au four et fermer les extrémités.

Beurrer généreusement le fond du papier et y placer les steaks de poisson. Ajouter le persil, la ciboulette et les échalotes; saler, poivrer.

Verser la crème sure sur chaque steak. Arroser le tout de jus de citron.

Placer une rondelle de citron sur chaque steak. Fermer le papier d'aluminium. Faire cuire au four de 12 à 15 minutes selon l'épaisseur des steaks.

Steaks de flétan au court-bouillon

(pour 4 personnes)

4	steaks de flétan de 2 cm (¾ po) d'épaisseur
1	petit poireau (le blanc seulement), lavé et émincé
12	champignons frais, lavés et émincés
1	carotte, pelée et émincée
1	feuille de laurier
3	branches de persil
1,5 à 2 L	(6 à 8 tasses) d'eau froide
125 mL	(½ tasse) de vin blanc sec
1 mL	(¼ c. à thé) de fenouil
	jus de citron
	une pincée de thym
	sel et poivre

Mettre les légumes, les fines herbes, le vin blanc et l'eau dans une poissonnière ou un plat de 5 cm (2 po) de profondeur. Remuer le tout et amener le liquide à ébullition; faire cuire de 10 à 12 minutes.

Réduire la chaleur de l'élément à feu très bas. Placer les steaks de flétan dans le liquide, couvrir et faire cuire de 8 à 10 minutes selon l'épaisseur des steaks.

Dès que le poisson est cuit*, le retirer de la poissonnière.

Servir les steaks de flétan avec du beurre fondu et du jus de citron.

*Les steaks de flétan sont cuits lorsque l'on peut retirer facilement l'arête centrale avec une fourchette.

Note: Pour servir le flétan en salade, faire cuire les steaks de 6 à 7 minutes et les laisser refroidir dans le liquide de cuisson.

Filets de morue pochés aux champignons
(pour 4 personnes)

Technique

1 Placer les filets de morue dans un plat ovale. Ajouter le persil et le jus de citron.

4	filets de morue
45 mL	(3 c. à soupe) de beurre
2	échalotes hachées
114 g	(¼ lb) de champignons frais, lavés et émincés
125 mL	(½ tasse) de vin blanc sec
375 mL	(1½ tasse) d'eau froide
3	branches de persil
45 mL	(3 c. à soupe) de farine
	jus de citron
	sel et poivre

Placer les filets de morue dans un plat oval. Ajouter les échalotes, les champignons, le vin blanc, l'eau froide et le persil.

Saler, poivrer. Arroser le tout de jus de citron; couvrir et amener le liquide à ébullition à feu très moyen. Retourner les filets une fois pendant la cuisson.

Dès que le liquide commence à bouillir, les filets sont cuits.

Retirer les filets du plat et les placer sur un plat de service. Tenir au chaud.

Faire fondre le beurre dans une petite casserole à feu moyen. Ajouter la farine; mélanger et faire cuire 2 minutes.

Ajouter le liquide de cuisson contenant les champignons; remuer le tout. Assaisonner au goût; faire cuire 4 à 5 minutes.

Verser le tout sur les filets de morue. Servir.

2 Ajouter les échalotes, les champignons, le vin blanc et l'eau froide.

3 Retourner les filets une fois pendant la cuisson.

4 Faire fondre le beurre dans une casserole. Ajouter la farine, mélanger et faire cuire 2 minutes.

5 Ajouter le liquide de cuisson; remuer le tout.

Morue aux épinards
(pour 4 personnes)

907 g	(2 lb) de morue fraîche
30 mL	(2 c. à soupe) d'huile d'olive
1	gousse d'ail, pelée et entière
3	paquets d'épinards lavés
375 mL	(1½ tasse) d'eau
15 mL	(1 c. à soupe) de beurre
375 mL	(1½ tasse) de sauce blanche chaude*
	une pincée de muscade
	sel et poivre
	jus de citron

Mettre les épinards dans une grande casserole contenant 375 mL (1½ tasse) d'eau bouillante salée et citronnée; couvrir et faire cuire 4 à 5 minutes.

Dès que les épinards sont cuits, les retirer de la casserole. Égoutter, essorer et hacher les épinards.

Faire fondre le beurre dans une casserole de grosseur moyenne. Ajouter les épinards, saler et poivrer; mélanger et faire cuire 2 à 3 minutes.

Ajouter la sauce blanche et la muscade; mélanger et faire mijoter le tout de 8 à 10 minutes.

Faire chauffer l'huile dans une poêle à frire à feu moyen. Ajouter l'ail et la morue; saler, poivrer et faire cuire de 4 à 5 minutes. Retourner une fois pendant la cuisson.

Servir la morue avec les épinards.

*Voir Casserole de flétan à la page 105.

Raie aux fines herbes
(pour 4 personnes)

2	ailerons de raie, coupés en filets
50 mL	(¼ tasse) de beurre
15 mL	(1 c. à soupe) de fines herbes
5 mL	(1 c. à thé) de poivre vert écrasé
	farine
	jus d'un citron
	sel et poivre

Saler, poivrer et enfariner les filets de raie.

Faire fondre la moitié du beurre dans une poêle à frire. Ajouter les filets de raie; faire cuire 3 à 4 minutes de chaque côté.

Retourner les filets une fois pendant la cuisson. Puis continuer la cuisson de 2 à 3 minutes selon la grosseur des filets.

Dès que les filets sont cuits, les retirer et les placer sur un plat de service.

Remettre le poêlon sur l'élément du poêle. Ajouter le reste du beurre; faire chauffer 2 minutes.

Ajouter le jus de citron et les fines herbes. Ajouter le poivre vert écrasé; mélanger le tout.

Verser sur les filets. Servir avec un légume vert.

Mulet froid

(pour 4 personnes)

2	mulets de 795 à 907 g (1¾ à 2 lb) chacun, nettoyés
114 g	(¼ lb) de têtes de champignons frais
250 mL	(1 tasse) d'eau froide
4	oeufs durs
125 mL	(½ tasse) de mayonnaise
	bouillon de poisson froid*
	jus de citron
	sel et poivre
	persil

Placer les mulets dans une grande poissonnière ou un plat allant au four. Recouvrir les mulets de bouillon de poisson froid; amener le liquide à ébullition à feu moyen.

Dès que le liquide commence à bouillir, retirer la poissonnière du feu. Laisser refroidir les mulets dans le liquide de cuisson.

Mettre les têtes de champignons dans une petite casserole. Saler, poivrer. Ajouter le jus de citron et l'eau; couvrir et faire cuire 4 à 5 minutes.

Dès que les champignons sont cuits, retirer la casserole du feu. Laisser refroidir les champignons dans le liquide de cuisson.

Lorsque les champignons sont froids, les égoutter et les hacher très finement.

Couper les oeufs durs en deux et en retirer les jaunes.

Ajouter les jaunes d'oeufs aux champignons; mélanger le tout. Ajouter 30 mL (2 c. à soupe) de mayonnaise; mélanger de nouveau.

Assaisonner au goût. Farcir les blancs d'oeufs avec le mélange.

Placer les mulets sur un plat de service et retirer la peau. Garnir le plat d'oeufs farcis et de branches de persil.

Arroser le tout de jus de citron. Servir avec de la mayonnaise.

*Voir la recette à la page 26.

Filets de plie à l'aubergine

(pour 4 personnes)

8	filets de plie
30 mL	(2 c. à soupe) d'huile d'olive
1	oignon finement haché
1	aubergine, pelée et émincée
2	tomates, pelées et coupées en dés
15 mL	(1 c. à soupe) de câpres
15 mL	(1 c. à soupe) de persil haché
1 mL	(¼ c. à thé) d'estragon
45 mL	(3 c. à soupe) de beurre
250 mL	(1 tasse) de farine
	sel et poivre
	jus de citron

Faire chauffer l'huile dans une sauteuse à feu moyen. Ajouter l'oignon; couvrir et faire cuire 2 minutes.

Ajouter l'aubergine; saler, poivrer. Couvrir et faire cuire de 10 à 12 minutes.

Ajouter les tomates, les câpres et les fines herbes; mélanger et faire cuire de 4 à 5 minutes.

Laisser mijoter à feu très doux pendant 10 minutes; rectifier l'assaisonnement.

Faire fondre le beurre dans une poêle à frire à feu moyen.

Saler, poivrer les filets de plie et les enfariner. Placer les filets de plie dans le beurre chaud; faire cuire 3 à 4 minutes de chaque côté.

Dresser les filets de plie sur un plat de service. Garnir chaque filet de purée d'aubergine. Servir.

Pommes de terre farcies au poisson

(pour 4 personnes)

4	grosses pommes de terre
250 mL	(1 tasse) de poisson cuit, réduit en purée
45 mL	(3 c. à soupe) de beurre fondu
125 mL	(½ tasse) de lait chaud
1	jaune d'oeuf
125 mL	(½ tasse) de fromage mozzarella râpé
	une pincée de muscade
	sel et poivre

Préchauffer le four à 190° C (375° F).

A l'aide d'une fourchette, piquer les pommes de terre pour permettre à la chaleur de s'échapper pendant la cuisson. Faire cuire les pommes de terre au four.

Dès que les pommes de terre sont cuites, les retirer du four. Laisser refroidir pendant 5 minutes.

Couper les pommes de terre en deux, horizontalement. A l'aide d'une cuillère, retirer la pulpe des pommes de terre, en ayant soin de ne pas briser la pelure.

Passer la pulpe au moulin à légumes. Ajouter la purée de poisson; mélanger le tout.

Ajouter le lait chaud, l'oeuf, le sel, le poivre et la muscade; bien incorporer.

Farcir les demi-pelures (2 par personne) avec le mélange de poisson. Parsemer le tout de fromage râpé et arroser de beurre fondu.

Faire cuire au four sous le gril (broil), à 15 cm (6 po) de l'élément supérieur, de 8 à 10 minutes.

Servir.

Pompano au gratin

(pour 4 personnes)

4	filets de pompano
30 mL	(2 c. à soupe) de cognac
30 mL	(2 c. à soupe) d'échalote hachée
25	champignons émincés
45 mL	(3 c. à soupe) de beurre
45 mL	(3 c. à soupe) de farine
375 mL	(1 ½ tasse) de bouillon de poisson chaud*
50 mL	(¼ tasse) de fromage parmesan râpé
	jus d'une boîte de palourdes
	persil haché
	jus de citron
	sel et poivre

Préchauffer le four à 190 °C (375 °F).

Placer les filets de pompano dans un plat allant au four. Ajouter le cognac et le jus de citron; faire mariner pendant 15 minutes.

Parsemer les filets de pompano d'échalote et de champignons; saler, poivrer.

Ajouter le jus de palourdes; couvrir et faire cuire au four de 16 à 18 minutes.

Dix minutes avant la fin de la cuisson du poisson, faire fondre le beurre dans une petite casserole. Ajouter la farine; mélanger et faire cuire 2 minutes.

Verser le bouillon de poisson; remuer le tout. Ajouter le fromage; assaisonner au goût et faire mijoter de 8 à 10 minutes.

Retirer les filets de poisson du four. Verser le liquide de cuisson dans la sauce et continuer la cuisson de 3 à 4 minutes.

Placer les filets de poisson sur un plat de service et les napper de sauce.

Placer le tout au four sous le gril (broil); faire dorer de 3 à 4 minutes.

Parsemer de persil haché. Servir.

*Voir la recette à la page 26.

Croquettes de saumon, sauce veloutée

(pour 4 personnes)

680 g	(1 ½ lb) de saumon cuit et haché
250 mL	(1 tasse) de champignons cuits et finement hachés
15 mL	(1 c. à soupe) de beurre
15 mL	(1 c. à soupe) d'échalote hachée
15 mL	(1 c. à soupe) de persil haché
375 mL	(1 ½ tasse) de sauce blanche très épaisse *
2	jaunes d'oeufs
1 mL	(¼ c. à thé) de muscade
375 mL	(1 ½ tasse) de sauce veloutée
	une pincée de fenouil

Ingrédients pour la panure

250 mL	(1 tasse) de farine
2	oeufs battus
5 mL	(1 c. à thé) d'huile
375 mL	(1 ½ tasse) de chapelure
	sel et poivre

Huile d'arachide pour la friture chauffée à 180° C (350° F).

Faire fondre le beurre dans une casserole. Ajouter le persil et l'échalote; faire cuire 1 minute.

Ajouter les champignons, le saumon, saler et poivrer; mélanger et faire cuire 2 minutes.

Ajouter la sauce blanche et les épices; remuer et faire cuire 3 minutes.

Ajouter les jaunes d'oeufs; continuer la cuisson 3 minutes tout en remuant constamment avec un fouet métallique, jusqu'à ce que le mélange épaississe.

Retirer du feu. Verser le mélange dans un plat et le faire refroidir.

Lorsqu'il est refroidi, former des croquettes et les enfariner.

Mélanger les oeufs battus et l'huile dans un bol. Tremper les croquettes enfarinées dans le mélange. Enrober le tout de chapelure.

Plonger les croquettes dans la friture pendant 3 minutes.

Servir avec la sauce veloutée.

*Voir Casserole de flétan à la page 105.

Préparation de la sauce veloutée

45 mL	(3 c. à soupe) de beurre
30 mL	(2 c. à soupe) d'échalote hachée
45 mL	(3 c. à soupe) de farine
500 mL	(2 tasses) de bouillon de poisson chaud *
50 mL	(¼ tasse) de crème épaisse à la française **
	quelques gouttes de sauce Tabasco
	jus de citron
	sel et poivre

Faire fondre le beurre dans une petite casserole. Ajouter l'échalote; faire cuire 1 minute.

Ajouter la farine; mélanger et faire cuire 1 minute. Verser le bouillon de poisson chaud; remuer avec un fouet métallique.

Ajouter la crème; faire cuire à feu doux pendant 20 minutes.

Assaisonner au goût. Servir.

  * Voir la recette à la page 26.
** Disponible dans certaines épiceries.

Saumon de la Côte-Nord

(pour 4 personnes)

Technique

1 Mettre le beurre, les échalotes et le persil dans une casserole. Ajouter la cassonade et le jus de citron.

1,8 kg	(4 lb) de saumon frais
5	échalotes hachées
75 mL	(5 c. à soupe) de beurre non salé
15 mL	(1 c. à soupe) de cassonade
125 mL	(½ tasse) de vin blanc sec
15 mL	(1 c. à soupe) de persil haché
	une pincée de fenouil
	jus de citron
	sel et poivre

Préchauffer le four à 180 °C (350 °F). Temps de cuisson : 10 à 12 minutes par livre.

Mettre le beurre, les échalotes, la cassonade, le vin blanc et le jus de citron dans une casserole. Ajouter le fenouil, le persil et le poivre du moulin; remuer et faire fondre le tout à feu moyen.

Placer une grande feuille de papier d'aluminium dans un plat allant au four. Placer le poisson sur le papier et fermer les extrémités.

Arroser le poisson avec le mélange de beurre fondu. Saler, poivrer.

Recouvrir le saumon avec le papier et faire cuire au four. Arroser le poisson 2 fois pendant la cuisson.

Servir avec des légumes frais.

2 Ajouter le vin blanc.

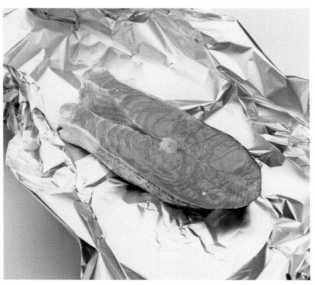

3 Placer le morceau de saumon sur une feuille de papier d'aluminium.

4 Arroser le poisson du mélange de beurre fondu.

Brochettes de saumon

(pour 4 personnes)

2	steaks de saumon, sans les arêtes et coupés en dés de 2 cm (¾ po) d'épaisseur
20	champignons entiers, blanchis
6	tranches de bacon cuit, coupées en deux
1	piment vert coupé en dés de 2,5 cm (1 po), blanchi
125 mL	(½ tasse) de beurre clarifié* ou fondu
500 mL	(2 tasses) de chapelure
	jus d'un citron
	sel et poivre

Préchauffer le four à 200°C (400°F).

Pour blanchir les légumes: les plonger dans l'eau bouillante salée et citronnée de 7 à 8 minutes. Ensuite, placer immédiatement les légumes sous le robinet d'eau froide.

Verser le jus de citron dans le beurre fondu et mélanger le tout.

Rouler les morceaux de bacon.

Sur des brochettes en bois, enfiler, en alternant, un champignon, un morceau de bacon, un morceau de piment et un morceau de saumon. Répéter la même opération pour remplir toutes les brochettes.

Badigeonner les brochettes de beurre fondu et les rouler dans la chapelure.

Saler et poivrer au goût.

Mettre les brochettes dans un plat allant au four et le placer dans le four à 15 cm (6 po) de l'élément supérieur. Faire cuire sous le gril (broil) 4 minutes de chaque côté.

Badigeonner les brochettes de beurre fondu pendant la cuisson.

Servir sur du riz.

*Voir la recette à la page 89.

Steaks de saumon panés

(pour 4 personnes)

30 mL	(2 c. à soupe) d'huile végétale
4	steaks de saumon
250 mL	(1 tasse) de farine
2	oeufs battus
50 mL	(¼ tasse) de lait
250 mL	(1 tasse) de chapelure
	beurre fondu
	jus de citron
	sel et poivre

Préchauffer le four à 190°C (375°F).

Saler, poivrer les steaks de saumon et les enrober de farine.

Mettre les oeufs et le lait dans un bol; mélanger le tout.

Tremper les steaks de saumon dans les oeufs battus et les enrober de chapelure.

Faire chauffer l'huile dans une sauteuse à feu moyen. Ajouter les steaks de saumon; faire cuire 2 minutes de chaque côté à feu moyen.

Retirer la sauteuse du feu et continuer la cuisson des steaks de saumon au four de 12 à 13 minutes.

Dès que les steaks de saumon sont cuits, les disposer sur un plat de service.

Ajouter quelques gouttes de citron au beurre fondu; mélanger le tout.

Arroser les steaks de saumon de beurre fondu citronné.

Garnir de pommes de terre persillées (facultatif).

Steaks de saumon, sauce au vin

(pour 4 personnes)

4	steaks de saumon
1 L	(4 tasses) d'eau froide
3	branches de persil
30 mL	(2 c. à soupe) de beurre
1	concombre pelé, épépiné et coupé en tronçons
2	tomates tranchées
250 mL	(1 tasse) de sauce au vin blanc
	jus de citron
	sel et poivre

Verser l'eau dans une sauteuse. Ajouter le jus de citron, le persil, le sel et le poivre.

Ajouter les steaks de saumon; amener le tout à ébullition. Réduire la chaleur à feu très doux et faire pocher les steaks de saumon pendant 15 minutes.

Dès que les steaks de saumon sont cuits, les retirer et les transférer sur un plat de service.

Servir avec la garniture.

Préparation de la garniture

Quatre minutes avant la fin de la cuisson du saumon, faire fondre le beurre dans une sauteuse. Ajouter les concombres et les tomates; saler, poivrer.

Ajouter la sauce au vin blanc; faire mijoter pendant quelques minutes. Servir.

Préparation de la sauce au vin blanc

125 mL	(½ tasse) de vin blanc sec
45 mL	(3 c. à soupe) de beurre
1	échalote hachée
30 mL	(2 c. à soupe) de persil haché
45 mL	(3 c. à soupe) de farine
500 mL	(2 tasses) de bouillon de poisson*
50 mL	(¼ tasse) de crème épaisse à la française**
	jus de citron
	sel et poivre

Verser le vin dans une petite casserole et l'amener à ébullition; faire réduire le vin blanc de moitié. Retirer du feu et mettre de côté.

Mettre le beurre, l'échalote et le persil dans une petite casserole; faire cuire 3 minutes à feu moyen.

Ajouter la farine; mélanger et faire cuire 1 minute.

Verser le bouillon de poisson; remuer le tout. Ajouter le vin blanc; mélanger de nouveau.

Rectifier l'assaisonnement. Ajouter la crème; faire cuire à feu très doux pendant 25 minutes.

Ajouter quelques gouttes de jus de citron.

Servir.

*Voir la recette à la page 26.
** Disponible dans certaines épiceries.

Steaks de saumon aux crevettes
(pour 4 personnes)

Technique

1 Faire cuire les steaks de saumon dans l'huile chaude. Finir la cuisson au four. Mettre de côté.

4	steaks de saumon
30 mL	(2 c. à soupe) d'huile végétale
227 g	(½ lb) de crevettes crues, décortiquées
1	échalote hachée
15 mL	(1 c. à soupe) de persil haché
50 mL	(¼ tasse) de sherry
250 mL	(1 tasse) de crème épaisse à la française*
	jus de citron
	sel et poivre

Préchauffer le four à 190 °C (375 °F).

Saler, poivrer les steaks de saumon.

Faire chauffer l'huile dans une sauteuse à feu moyen. Ajouter les steaks de saumon; faire cuire 3 minutes de chaque côté.

Retirer la sauteuse du feu. Continuer la cuisson au four de 10 à 12 minutes.

Lorsque les steaks de saumon sont cuits, les retirer de la sauteuse et les placer sur un plat de service. Tenir au chaud dans un four à 70 °C (150 °F).

Placer la sauteuse sur l'élément du poêle et y mettre les crevettes. Ajouter l'échalote et le persil; faire cuire pendant 3 minutes. Ajouter le sherry; faire cuire 2 minutes.

A l'aide d'une écumoire, retirer les crevettes de la sauteuse et les mettre de côté.

Verser la crème dans la sauteuse; remuer et faire cuire de 3 à 4 minutes.

Remettre les crevettes dans la sauce; remuer le tout et faire mijoter pendant 1 minute.

Verser la sauce sur les steaks de saumon. Garnir de tomates grillées et de brocoli au beurre. Arroser de jus de citron. Servir.

*Disponible dans certaines épiceries.

2 Mettre les crevettes dans la sauteuse. Ajouter l'échalote et le persil ; faire cuire 3 minutes.

3 Ajouter le sherry ; faire cuire 2 minutes.

4 Retirer les crevettes de la sauteuse. Mettre de côté.

5 Verser la crème dans la sauteuse ; remuer et faire cuire de 3 à 4 minutes. →

Technique des steaks de saumon aux crevettes (suite)

6   Remettre les crevettes dans la sauce.

Sébaste à la sauge
(pour 4 personnes)

4	sébastes de 794 à 907 g (1¾ à 2 lb), nettoyés et les nageoires coupées
60 mL	(4 c. à soupe) de beurre
½	oignon d'Espagne finement haché
45 mL	(3 c. à soupe) d'huile d'olive
30 mL	(2 c. à soupe) de farine
500 mL	(2 tasses) de lait chaud
15 mL	(1 c. à soupe) de fenouil frais
	quelques feuilles de sauge
	sel et poivre
	jus de citron

Préchauffer le four à 180°C (350°F).

Saler, poivrer les poissons et les farcir de beurre, d'oignon et de feuilles de sauge.

Placer les poissons dans un plat huilé allant au four et les faire cuire de 35 à 40 minutes selon leur grosseur.

Note: N'oubliez pas d'écailler les poissons et de bien les nettoyer.

Préparation de la sauce

Faire chauffer l'huile dans une casserole. Ajouter la farine, mélanger et faire brunir la farine, à feu très doux, de 5 à 6 minutes.

Mettre le fenouil dans le lait chaud; mélanger le tout. Verser le mélange dans la casserole contenant la farine, remuer et faire cuire à feu doux de 5 à 6 minutes tout en remuant de temps en temps.

Placer les sébastes sur un plat de service et les napper de sauce. Arroser de jus de citron. Servir.

Filets de sébaste à la sauce soya
(pour 4 personnes)

Dès que les filets de poisson sont cuits, les retirer et les placer sur un plat de service.

Remettre le poêlon sur l'élément du poêle, ajouter la marinade et amener à ébullition.

Délayer la fécule de maïs avec l'eau froide; ajouter ce mélange dans le poêlon et faire cuire 2 minutes. Verser sur les filets de poisson. Servir.

Filets de sébaste au citron
(pour 4 personnes)

4	grands filets de sébaste
125 mL	(½ tasse) de farine tout usage
15 mL	(1 c. à soupe) d'huile
30 mL	(2 c. à soupe) de beurre
50 mL	(¼ tasse) d'amandes effilées
1	citron pelé et coupé en dés
	zeste de ½ citron
	persil haché
	sel et poivre

Préchauffer le four à 70° C (150° F).

Saler, poivrer et enfariner les filets de sébaste.

Faire chauffer 15 mL (1 c. à soupe) d'huile et 15 mL (1 c. à soupe) de beurre dans une poêle à frire. Ajouter les filets de sébaste; faire cuire à feu moyen 3 à 4 minutes de chaque côté.

Dès que les filets de sébaste sont cuits, les retirer et les déposer sur un plat de service. Tenir le tout au chaud dans le four.

Remettre la poêle sur l'élément. Ajouter le reste du beurre, les amandes effilées et le zeste de citron; faire cuire à feu très vif pendant 2 minutes.

Ajouter les dés de citron et le persil haché; faire cuire 1 minute.

Verser sur les filets. Servir.

15 mL	(1 c. à soupe) d'huile
4	gros filets de sébaste
125 mL	(½ tasse) de vin blanc sec
30 mL	(2 c. à soupe) de sauce soya
15 mL	(1 c. à soupe) de gingembre haché
2	oignons verts hachés
2 mL	(½ c. à thé) de fécule de maïs
45 mL	(3 c. à soupe) d'eau froide
	jus de citron
	sel et poivre

Placer les filets de sébaste dans un plat. Saler, poivrer.

Verser le vin blanc dans un bol. Ajouter la sauce soya, le gingembre, les oignons verts et le jus de citron; faire mariner le tout pendant 30 minutes.

Faire chauffer l'huile dans une poêle à frire à feu moyen. Ajouter les filets de sébaste; faire cuire 3 à 4 minutes de chaque côté.

Filets de sole à la bretonne
(pour 4 personnes)

8	filets de sole
125 mL	(½ tasse) de vin blanc sec
250 mL	(1 tasse) de bouillon de poisson*
1	carotte, pelée et coupée en julienne
1	branche de céleri, coupée en julienne
2	pommes de terre, pelées et coupées en julienne
30 mL	(2 c. à soupe) de beurre
5 mL	(1 c. à thé) de fécule de maïs
45 mL	(3 c. à soupe) d'eau froide
	jus de citron
	sel et poivre

Préchauffer le four à 180 °C (350 °F).

Placer les filets de sole dans un plat allant au four généreusement beurré.

Placer la julienne de légumes sur les filets de poisson. Saler, poivrer et arroser le tout de jus de citron.

Verser le vin blanc et le bouillon de poisson. Couvrir avec un papier d'aluminium; faire cuire au four de 10 à 12 minutes selon la grosseur des filets.

Dès que les filets de sole sont cuits, les retirer et les placer sur un plat de service.

Remettre le plat contenant le reste des ingrédients sur l'élément du poêle et finir la cuisson des légumes.

Délayer la fécule de maïs avec l'eau froide; incorporer le mélange à la sauce et faire cuire 1 minute.

Verser la sauce sur les filets de sole. Servir.

*Voir la recette à la page 26.

Filets de sole aux épinards
(pour 4 personnes)

125 mL	(½ tasse) de vin blanc sec
8	filets de sole
2	paquets d'épinards, lavés
1	échalote hachée
15 mL	(1 c. à soupe) de beurre
375 mL	(1½ tasse) de sauce blanche* chaude, pas trop épaisse
1 mL	(¼ c. à thé) de muscade
50 mL	(¼ tasse) de fromage gruyère râpé
	une pincée de macis
	sel et poivre

Préchauffer le four à 180° C (350° F).

Faire fondre le beurre dans une sauteuse à feu moyen. Ajouter l'échalote et les épinards; mélanger et faire cuire 2 minutes.

Verser le vin blanc; saler, poivrer.

Plier les filets de sole en deux et les placer sur les épinards; couvrir et faire cuire 7 à 8 minutes.

Retirer les filets de sole de la sauteuse et les mettre de côté.

Retirer les épinards et bien les égoutter; les hacher et les placer dans un plat beurré allant au four. Placer les filets de sole pliés sur les épinards.

Saupoudrer la sauce de macis et de muscade; mélanger le tout.

Verser la sauce sur les filets de sole. Parsemer de fromage râpé.

Faire dorer au four sous le gril (broil) pendant 4 minutes.

*Voir Casserole de flétan à la page 105.

Filets de sole aux pommes
(pour 4 personnes)

Recouvrir le tout de papier d'aluminium; faire cuire au four pendant 30 minutes.

Huit minutes avant la fin de la cuisson, faire chauffer l'huile et 22 mL (1½ c. à soupe) de beurre dans une poêle à frire. Saler, poivrer les filets et les enfariner.

Placer les filets de poisson dans la poêle et les faire cuire de 3 à 4 minutes de chaque côté à feu moyen.

Dès que les filets sont cuits, les déposer sur un plat de service. Placer les pommes à côté des filets de poisson. Tenir le tout au chaud.

Remettre la poêle sur l'élément. Ajouter le reste du beurre; faire fondre 30 secondes. Ajouter le jus d'un citron et le persil haché; faire cuire 30 secondes.

Verser sur les filets. Servir.

*Voir Casserole de flétan à la page 105.

8	filets de sole
250 mL	(1 tasse) de farine
15 mL	(1 c. à soupe) d'huile végétale
45 mL	(3 c. à soupe) de beurre
15 mL	(1 c. à soupe) de persil haché
4	pommes, pelées et évidées
125 mL	(½ tasse) de petites crevettes, cuites et décortiquées
45 mL	(3 c. à soupe) de raisins secs dorés
125 mL	(½ tasse) de sauce blanche chaude*
	une pincée de muscade
	jus de 2 citrons
	sel et poivre

Préchauffer le four à 180 °C (350 °F).

Placer les pommes dans un plat beurré allant au four et les arroser de jus de citron.

Mettre les crevettes et les raisins dans un petit bol. Ajouter la sauce blanche chaude et la muscade; mélanger le tout. Assaisonner au goût et farcir les pommes.

Technique

1 Placer les pommes dans un plat beurré allant au four et les arroser de jus de citron.

Technique des filets de sole aux pommes (suite)

2 Mettre les crevettes et les raisins dans un petit bol.

3 Ajouter la sauce blanche et la muscade ; mélanger le tout.

5 Placer les filets de sole dans une poêle ; faire cuire 3 à 4 minutes de chaque côté.

6 Retirer les filets de la poêle et les mettre de côté. Mettre beurre, persil et jus de citron dans la poêle chaude ; faire cuire 30 secondes.

4 Farcir les pommes.

Filets de sole au safran

(pour 4 personnes)

45 mL	(3 c. à soupe) de beurre
45 mL	(3 c. à soupe) de farine
8	filets de sole
1	grosse pincée de safran
625 mL	(2½ tasses) d'eau froide
1	feuille de laurier
250 mL	(1 tasse) de châtaignes d'eau, émincées
50 mL	(¼ tasse) de crème épaisse à la française*
	quelques gouttes de jus de citron
	sel et poivre

Saler, poivrer les filets de sole, les rouler et les placer dans une sauteuse.

Saupoudrer les filets de safran. Ajouter l'eau froide, le jus de citron, la feuille de laurier et les châtaignes d'eau; couvrir et amener le liquide à ébullition.

Retourner délicatement les filets de sole et continuer la cuisson à feu doux de 4 à 5 minutes.

Placer les filets de sole sur un plat de service. Mettre de côté. Conserver le liquide de cuisson.

Faire fondre le beurre dans une casserole à feu moyen. Ajouter la farine, mélanger et faire cuire pendant 2 minutes.

Verser le liquide de cuisson; bien mélanger. Ajouter la crème et faire cuire le tout à feu doux de 7 à 8 minutes.

Remettre les filets de sole dans la sauce pour les réchauffer.

Garnir le plat de service de riz cuit à la vapeur (facultatif).

*Disponible dans certaines épiceries.

Filets de sole roulés et pochés
(pour 4 personnes)

Technique

1 Saler, poivrer les filets de sole et les rouler.

8	filets de sole
227 g	(½ lb) de champignons frais, lavés et coupés en deux
15 mL	(1 c. à soupe) de persil haché
50 mL	(¼ tasse) de vin blanc sec
375 mL	(1½ tasse) d'eau froide
30 mL	(2 c. à soupe) de beurre
30 mL	(2 c. à soupe) de farine
50 mL	(¼ tasse) de crème épaisse à la française*
	jus de citron
	sel et poivre

Saler, poivrer les filets de sole, les rouler et les placer dans une sauteuse. Ajouter les champignons, le persil, le vin blanc et l'eau froide.

Arroser le tout de quelques gouttes de jus de citron et couvrir avec un papier ciré. Amener le liquide à ébullition et faire cuire à feu doux de 4 à 5 minutes.

Retourner les filets une fois pendant la cuisson.

Retirer les filets de sole et les placer sur un plat de service. Tenir au chaud dans un four à chaleur minimale.

Faire fondre le beurre dans une petite casserole. Ajouter la farine, mélanger et faire cuire pendant 2 minutes.

Ajouter le liquide de cuisson et les champignons; faire mijoter de 3 à 4 minutes.

Remuer le tout. Ajouter la crème et remuer de nouveau.

Verser la sauce sur les filets de sole. Servir.

*Disponible dans certaines épiceries.

2 Placer les filets dans une sauteuse. Ajouter les champignons et le persil.

3 Ajouter le jus de citron et le vin blanc.

4 Retourner les filets une fois pendant la cuisson.

5 Faire fondre le beurre dans une casserole. Ajouter la farine ; mélanger et faire cuire 2 minutes.

→

Technique des filets de sole roulés et pochés (suite)

6 Ajouter le liquide de cuisson; mijoter 3 à 4 minutes.

7 Ajouter la crème.

Filets de sole de l'Atlantique
(pour 4 personnes)

8	filets de sole
30 mL	(2 c. à soupe) de vermouth
50 mL	(¼ tasse) de crème sure
30 mL	(2 c. à soupe) de fromage parmesan râpé
	jus de citron
	sel et poivre

Préchauffer le four à 190°C (375°F).

Placer les filets de sole dans un plat huilé et chaud allant au four. Saler, poivrer. Ajouter le vermouth.

Mettre la crème sure, le fromage et le jus de citron dans un bol; incorporer le tout.

Badigeonner chaque filet avec le mélange.

Faire cuire le tout au four de 15 à 16 minutes. Servir.

Sole de Douvres au cidre

(pour 4 personnes)

Cinq ou six minutes avant la fin de la cuisson, ajouter la crème.

Arroser le tout de quelques gouttes de jus de citron. Servir.

*Disponible dans certaines épiceries.

4		soles de Douvre (sans la peau)
60	mL	(4 c. à soupe) de beurre fondu
30	mL	(2 c. à soupe) d'échalote hachée
50	mL	(¼ tasse) de chapelure
30	mL	(2 c. à soupe) de persil haché
375	mL	(1½ tasse) de cidre
125	mL	(½ tasse) de crème épaisse à la française*
		jus de citron
		sel et poivre

Préchauffer le four à 180° C (350° F).

Mettre 60 mL (4 c. à soupe) de beurre dans un plat allant au four.

Placer les soles dans le plat et les parsemer d'échalote et de persil. Saler, poivrer.

Verser le cidre. Parsemer le tout de chapelure. Faire cuire au four de 20 à 25 minutes selon l'épaisseur des soles.

Technique

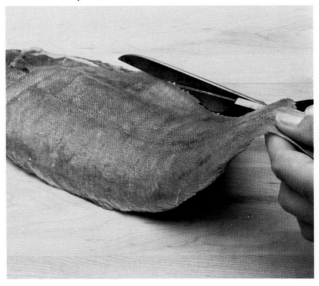

1 A l'aide d'une paire de ciseaux, couper les arêtes qui se trouvent le long de la sole.

→

Technique de la sole de Douvres au cidre (suite)

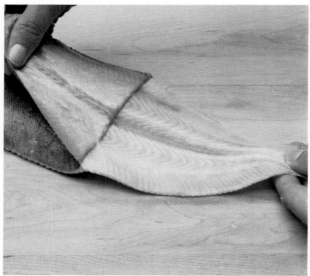

2 A l'aide d'un petit couteau de cuisine, faire une petite incision sur la queue du poisson pour décoller la peau. Tenir la queue du poisson de la main gauche et tirer la peau avec la main droite.

3 Faire une incision, dans le sens de la longueur, au centre de la sole et dégager la chair des arêtes. On peut utiliser les arêtes pour préparer un bouillon de poisson.

Truite amandine
(pour 4 personnes)

4		truites de lac de 284 g (10 lb) chacune, nettoyées
1		oeuf
250	mL	(1 tasse) de lait
250	mL	(1 tasse) de farine
45	mL	(3 c. à soupe) d'huile végétale
15	mL	(1 c. à soupe) de beurre
30	mL	(2 c. à soupe) d'amandes effilées
15	mL	(1 c. à soupe) de persil haché
		jus de citron
		sel et poivre

Préchauffer le four à 180° C (350° F).

Bien égoutter les truites sur un papier essuie-tout. Saler, poivrer la cavité des truites.

Battre légèrement l'oeuf dans un bol. Ajouter le lait et 1 mL (¼ c. à thé) de sel; bien mélanger.

Plonger les truites dans le mélange d'oeuf et les enrober de farine. Retirer l'excès de farine.

Faire chauffer l'huile dans une sauteuse à feu vif. Ajouter les truites et les faire saisir de 4 à 5 minutes de chaque côté.

Placer la sauteuse au four et continuer la cuisson des truites de 5 à 6 minutes.

Transférer les truites sur un plat de service chaud.

Faire fondre le beurre dans une poêle à frire. Ajouter les amandes; faire cuire pendant 1 minutes. Ajouter le jus de citron et le persil haché; mélanger le tout.

Verser le mélange sur les truites. Servir.

Truite à la menthe

(pour 4 personnes)

4		petites truites nettoyées, lavées et asséchées
24		feuilles de menthe
50	mL	(¼ tasse) d'huile d'olive
		7 à 8 branches de persil
		jus de citron
		sel et poivre du moulin

Préchauffer le four à 220° C (425° F).

Saler, poivrer l'intérieur des truites.

Hacher les feuilles de menthe et le persil. Mettre le tout dans un bol. Ajouter l'huile et le jus de citron; poivrer généreusement. Mélanger le tout.

Farcir les truites avec les feuilles de menthe et badigeonner les truites avec le reste de la marinade. Faire mariner le tout pendant 30 minutes.

Placer les truites dans un plat allant au four. Faire cuire au four de 5 à 6 minutes de chaque côté à 15 cm (6 po) de l'élément supérieur.

Badigeonner les truites 2 fois pendant la cuisson.

Placer les truites sur un plat de service et les arroser de jus de citron. Servir.

Truite à l'espagnole

(pour 4 personnes)

250	mL	(1 tasse) de farine
4		truites de 454 g (1 lb) chacune, nettoyées
45	mL	(3 c. à soupe) d'huile d'olive
3		tomates, pelées et coupées en dés
1		piment vert, finement émincé
1		gousse d'ail, écrasée et hachée
12		olives vertes farcies et coupées en rondelles
3		filets d'anchois hachés
15	mL	(1 c. à soupe) de persil haché
1	mL	(¼ c. à thé) d'origan
		une pincée de fenouil
		quelques gouttes de jus de citron
		sel et poivre

Préchauffer le four à 180° C (350° F).

Faire chauffer 30 mL (2 c. à soupe) d'huile dans une sauteuse. Ajouter les tomates et faire cuire pendant 3 minutes.

Ajouter les piments, l'ail, les olives, les anchois et les fines herbes. Saler, poivrer et faire cuire pendant 3 minutes tout en mélangeant à l'occasion.

Verser le mélange dans un plat allant au four.

Verser le reste de l'huile dans une poêle à frire et la faire chauffer.

Rouler les truites dans la farine et les faire saisir dans l'huile chaude 2 minutes de chaque côté.

Placer les truites sur le mélange de tomates. Saler, poivrer et faire cuire au four de 16 à 18 minutes.

Arroser le tout de jus de citron. Servir.

Truite à l'orange et aux bananes

Truite à l'orange et aux bananes

(pour 4 personnes)

250	mL	(1 tasse) de farine
4		truites de 454 g (1 lb) chacune, nettoyées
45	mL	(3 c. à soupe) de beurre clarifié*
1		orange, coupée en sections
15	mL	(1 c. à soupe) de zeste de citron
1		banane, pelée et émincée
30	mL	(2 c. à soupe) de beurre
15	mL	(1 c. à soupe) de ciboulette hachée
		jus de citron
		sel et poivre

Préchauffer le four à 190° C (375° F).

Saler, poivrer et rouler les truites dans la farine.

Faire chauffer le beurre clarifié dans une sauteuse allant au four. Ajouter les truites et les faire saisir de 3 à 4 minutes de chaque côté.

Mettre la sauteuse au four et continuer la cuisson de 7 à 8 minutes.

Retirer la sauteuse du four et transférer les truites sur un plat de service chaud.

Remettre la sauteuse sur l'élément du poêle et y ajouter le beurre, les sections d'orange, la banane émincée, le zeste et la ciboulette; faire cuire pendant 2 minutes.

Arroser le tout de jus de citron. Verser le mélange sur les truites. Servir.

* Voir la recette à la page 89.

Truite dans le papier d'aluminium

(pour 4 personnes)

1		truite de 1,4 kg (3 lb), bien nettoyée
45	mL	(3 c. à soupe) de beurre
1		oignon émincé
2		échalotes hachées
1		carotte, pelée et émincée
2	mL	(½ c. à thé) de thym
1		feuille de laurier
125	mL	(½ tasse) de vin blanc sec
50	mL	(¼ tasse) d'eau
1		branche de persil
		une pincée de fenouil
		jus de citron
		sel et poivre

Préchauffer le four à 180° C (350° F).

Faire fondre le beurre à feu vif dans une casserole. Ajouter l'oignon, les échalotes, la carotte et les fines herbes; faire mijoter à feu moyen, pendant 4 minutes, sans couvrir, tout en remuant le mélange fréquemment.

Saler, poivrer. Ajouter le vin, l'eau, le jus de citron et le persil; amener le liquide à ébullition à feu vif. Puis laisser mijoter le liquide à feu moyen pendant 5 minutes.

Retirer la casserole du feu. Mettre de côté.

Bien assécher la truite avec du papier essuie-tout.

Placer la truite au milieu d'un grand papier d'aluminium. Envelopper la truite en pliant le papier dans le sens de la longueur. Ne pas trop serrer.

Plier un bout du papier pour former un genre de sac; y verser le contenu de la casserole. Refermer l'autre bout du papier; bien sceller.

Placer le tout dans un plat allant au four. Faire cuire la truite au four pendant 45 minutes (ou 15 minutes par livre).

Retirer la truite du four. Ouvrir le papier à un bout et verser le liquide dans une petite casserole.

Enlever le papier et disposer la truite sur un plat de service chaud.

Verser le liquide de cuisson et les légumes sur la truite.

Servir avec du citron.

Filets de truite au citron
(pour 4 personnes)

1		truite de 1,8 kg (4 lb), en filets
15	mL	(1 c. à soupe) d'huile
30	mL	(2 c. à soupe) de beurre
12		champignons coupés en dés
1		citron, pelé et coupé en dés
		farine
		sel et poivre

Préchauffer le four à 180°C (350°F).

Enfariner, saler, poivrer les filets de truite.

Faire chauffer l'huile et 15 mL (1 c. à soupe) de beurre dans une poêle à frire allant au four. Ajouter les filets de truite et les faire cuire de 3 à 4 minutes de chaque côté.

Placer la poêle à frire dans le four et continuer la cuisson du poisson de 4 à 5 minutes.

Retirer la poêle du four et transférer les filets de truite sur un plat de service chaud.

Remettre la poêle à frire sur l'élément du poêle et y ajouter le reste du beurre, les champignons et le citron; faire cuire le tout pendant 2 minutes.

Poivrer généreusement et verser le tout sur les filets de truite. Servir.

Truite de rivière aux amandes
(pour 4 personnes)

4		truites de 454 g (1 lb) chacune, nettoyées
175	mL	(¾ tasse) d'amandes effilées
45	mL	(3 c. à soupe) de beurre clarifié*
15	mL	(1 c. à soupe) de beurre
250	mL	(1 tasse) de farine
		jus d'un citron
		sel et poivre

Préchauffer le four à 190°C (375°F).

Saler, poivrer les truites et les rouler dans la farine. Mettre de côté.

Faire chauffer le beurre clarifié dans une poêle à frire allant au four. Ajouter les truites et les faire cuire 4 minutes de chaque côté.

Mettre la poêle dans le four et continuer la cuisson de 7 à 8 minutes.

Retirer la poêle du four et transférer les truites sur un plat de service chaud.

Remettre la poêle sur l'élément à feu moyen et y ajouter le beurre et les amandes. Arroser le tout de jus de citron. Poivrer et faire cuire pendant 2 minutes.

Verser le tout sur les truites. Servir.

* Voir la recette à la page 89.

Truite de rivière aux câpres

(pour 4 personnes)

4		truites de 454 g (1 lb) chacune, nettoyées
250	mL	(1 tasse) de farine
45	mL	(3 c. à soupe) de beurre clarifié*
15	mL	(1 c. à soupe) de beurre
45	mL	(3 c. à soupe) de câpres
1		citron, pelé et coupé en dés
15	mL	(1 c. à soupe) de persil haché
15	mL	(1 c. à soupe) de zeste d'orange
		sel et poivre

Préchauffer le four à 190°C (375°F).

Saler, poivrer les truites et les rouler dans la farine.

Faire chauffer le beurre clarifié dans une sauteuse allant au four. Ajouter les truites et les faire cuire 4 minutes de chaque côté.

Placer la sauteuse dans le four et continuer la cuisson des truites de 5 à 6 minutes selon leur grosseur.

Retirer la sauteuse du four et transférer les truites sur un plat de service chaud.

Remettre la sauteuse sur l'élément à feu moyen et y ajouter le beurre et tous les autres ingrédients; faire cuire pendant une minute.

Verser le tout sur les truites et servir.

* Voir la recette à la page 89.

Truite à la farine de maïs

(pour 4 personnes)

4		petites truites de 680 g (1½ lb) chacune, nettoyées, lavées et asséchées
50	mL	(¼ tasse) de farine de maïs
125	mL	(½ tasse) de farine tout usage
375	mL	(1½ tasse) de lait
45	mL	(3 c. à soupe) de beurre clarifié*
15	mL	(1 c. à soupe) de beurre mou
15	mL	(1 c. à soupe) de persil haché
		jus de citron
		sel et poivre

Préchauffer le four à 190°C (375°F).

Saler, poivrer les truites et les tremper dans le lait.

Tamiser la farine de maïs et la farine tout usage dans un bol. Rouler les truites dans le mélange.

A feu moyen, faire chauffer le beurre clarifié dans une sauteuse allant au four.

Dès que le beurre est chaud, ajouter les truites et les faire cuire de 4 à 5 minutes de chaque côté.

Ajouter le jus de citron, le beurre mou et le persil. Faire cuire le tout au four de 3 à 4 minutes. Servir.

* Voir la recette à la page 89.

Turbot à l'orange

Turbot à l'orange

(pour 4 personnes)

2		filets de turbot
½		coeur de céleri, émincé
1		carotte, pelée et émincée
		zeste d'une orange
		zeste d'un citron
375	mL	(1½ tasse) de bouillon de poisson chaud*
50	mL	(¼ tasse) de vin blanc sec
30	mL	(2 c. à soupe) de beurre
30	mL	(2 c. à soupe) de farine
1		orange découpée en sections
		sel et poivre

Placer les filets de turbot dans une poissonnière ou un plat pour pocher. Ajouter le céleri, la carotte et les zestes de citron et d'orange.

Verser le bouillon de poisson, le vin blanc; couvrir avec un papier ciré. Amener rapidement à ébullition; faire pocher à feu doux pendant 5 minutes.

Retirer le poisson et la julienne de légumes du plat. Déposer le tout sur un plat de service et garder au chaud.

Faire fondre le beurre dans une petite casserole. Ajouter la farine; faire cuire 2 minutes.

Verser le liquide de cuisson. Saler, poivrer; faire cuire 5 à 6 minutes.

Une minute avant la fin de la cuisson, ajouter les sections d'orange; faire mijoter.

Verser la sauce sur les filets. Servir.

*Voir la recette à la page 26.

Truite farcie

(pour 4 personnes)

4		truites de 454 g (1 lb) chacune, sans l'arête dorsale
350	g	(¾ lb) de filet de sole
2		blancs d'oeufs
125	mL	(½ tasse) de crème à 35%
45	mL	(3 c. à soupe) de beurre clarifié*
		une pincée de muscade
		jus de citron
		sel et poivre blanc

Préchauffer le four à 180° C (350° F).

Réduire les filets de sole en purée à l'aide d'un robot culinaire. Passer la purée au tamis.

Battre les blancs d'oeufs avec une fourchette et les incorporer à la purée de poisson.

Placer le bol contenant la purée de poisson dans un bol contenant de la glace. Incorporer, petit à petit, la crème à la purée de poisson.

Ajouter la muscade et assaisonner au goût.

Farcir les truites avec le mélange et les placer dans un plat beurré allant au four. Arroser le tout de beurre clarifié.

Faire cuire au milieu du four, sans couvrir, de 20 à 25 minutes selon la grosseur des truites.

Garnir de branches de persil frais. Servir avec du jus de citron.

* Voir la recette à la page 89.

Filets de vivaneau à l'orange

Filets de vivaneau à l'orange

(pour 4 personnes)

2	vivaneaux, nettoyés et coupés en filets
60 mL	(4 c. à soupe) de beurre fondu
1	orange coupée en rondelles
	jus d'une orange
	quelques gouttes de jus de citron
	sel et poivre

Préchauffer le four à 180° C (350° F).

Beurrer un plat allant au four. Mettre les filets de poisson dans le plat. Saler, poivrer. Arroser le tout de jus d'orange et de quelques gouttes de jus de citron. Ajouter le beurre fondu.

Faire cuire au four sans couvrir, de 8 à 10 minutes. Retourner le poisson une fois pendant la cuisson.

Servir avec du riz aux piments.

Préparation du riz aux piments

15 mL	(1 c. à soupe) d'huile d'olive
250 mL	(1 tasse) de riz à longs grains, lavé
½	piment doux haché
½	piment vert haché
1	piment rouge fort haché
1	oignon haché
375 mL	(1 ½ tasse) de bouillon de poulet chaud
1	feuille de laurier
5 mL	(1 c. à thé) de cumin
	sel et poivre

Préchauffer le four à 180° C (350° F).

Faire chauffer l'huile dans une casserole allant au four. Ajouter tous les piments et l'oignon; faire cuire 2 minutes.

Ajouter le riz; mélanger le tout. Saler, poivrer; faire cuire 3 minutes en remuant de temps en temps.

Ajouter le bouillon de poulet, la feuille de laurier et le cumin. Couvrir et faire cuire au four pendant 18 minutes.

Servir.

Filets de turbot cressonnière

(pour 4 personnes)

2		grands filets de turbot
5	mL	(1 c. à thé) de ciboulette hachée
375	mL	(1 ½ tasse) de bouillon de poisson chaud*
50	mL	(¼ tasse) de vin blanc sec
30	mL	(2 c. à soupe) de beurre
1		laitue Boston, lavée et effeuillée
1		botte de cresson lavé
15	mL	(1 c. à soupe) de farine
45	mL	(3 c. à soupe) de crème à 35%
		jus de citron
		sel et poivre

Placer les filets de turbot dans une poissonnière. Saler, poivrer. Ajouter la ciboulette, le bouillon de poisson et le vin blanc sec.

Amener le tout à ébullition. Retirer la poissonnière du feu et laisser le poisson pocher dans le liquide chaud pendant 5 minutes. Égoutter les filets et réserver au chaud.

Faire fondre le beurre dans une casserole. Ajouter les feuilles de laitue et le cresson. Parsemer de farine, saler et poivrer. Couvrir et faire cuire pendant 5 minutes.

Verser le mélange de laitue dans un mélangeur électrique (blender) et réduire en purée.

Ajouter 125 mL (½ tasse) de liquide de cuisson. Verser la crème et remuer.

Assaisonner au goût et faire cuire 4 à 5 minutes.

Napper les filets de sauce. Arroser de jus de citron. Servir.

*Voir la recette à la page 26.

Salades

Salade de crabe d'Alaska

(pour 4 personnes)

Technique

1 Couper les avocats en deux et les arroser de jus de citron. Saler, poivrer.

3	pattes de crabe d'Alaska cuites, la chair coupée en dés
2	avocats mûrs
2	oeufs durs coupés en rondelles
1	branche de céleri, coupée en dés
250 mL	(1 tasse) de brocoli cuit
8	tomates naines, coupées en deux
175 mL	(¾ tasse) de sauce Mille-Îles
	jus de citron
	sel et poivre

Couper les avocats en deux et les arroser de jus de citron pour les empêcher de noircir. Saler, poivrer.

Mettre la chair de crabe dans un bol. Ajouter le céleri, le brocoli et les tomates; saler, poivrer.

Ajouter la sauce Mille-Îles; mélanger le tout. Arroser de quelques gouttes de jus de citron.

Ajouter les oeufs durs; mélanger délicatement.

Farcir les demi-avocats de ce mélange. Servir avec des rondelles de citron.

Préparation de la sauce Mille-Îles

125 mL	(½ tasse) de piment doux, cuit et haché
125 mL	(½ tasse) d'olives farcies, hachées
50 mL	(¼ tasse) de sauce chili
250 mL	(1 tasse) de mayonnaise
15 mL	(1 c. à soupe) de persil haché
	quelques gouttes de sauce Tabasco
	quelques gouttes de sauce Worcestershire
	jus de citron
	sel et poivre

Mélanger tous les ingrédients dans un bol. Assaisonner au goût.

2 Mettre la chair de crabe, le céleri, le brocoli et les tomates dans un bol. Ajouter la sauce Mille-Îles ; mélanger le tout.

3 Ajouter les oeufs durs ; mélanger délicatement.

4 Farcir les demi-avocats.

Crabe dormeur en salade

(pour 4 personnes)

4	crabes dormeurs cuits
1	branche de céleri, coupée en dés
2	oeufs durs hachés
1	concombre épépiné, pelé et coupé en dés
125 mL	(½ tasse) de mayonnaise aux herbes
	jus de citron, sel et poivre
	feuilles de laitue pour la garniture

A l'aide d'un petit couteau de cuisine, découper le dessous de la carapace du crabe.

Retirer délicatement la chair de la carapace avec une cuillère. Mettre de côté. Retirer la chair des pattes et des pinces du crabe.

Placer la chair de crabe dans un bol. Ajouter le céleri, les oeufs durs et le concombre. Saler, poivrer et arroser le tout de quelques gouttes de jus de citron. Bien mélanger.

Mettre la mayonnaise aux herbes dans un bol. Ajouter le mélange de chair de crabe; mélanger le tout délicatement.

Placer une feuille de laitue dans chaque carapace de crabe et y mettre le mélange de crabe.

Servir avec des rondelles de citron.

Préparation de la mayonnaise aux herbes

15 mL	(1 c. à soupe) de moutarde de Dijon
2	jaunes d'oeufs
15 mL	(1 c. à soupe) de persil haché
5 mL	(1 c. à thé) de ciboulette hachée
5 mL	(1 c. à thé) d'estragon frais, haché
175 à 250 mL	(¾ à 1 tasse) d'huile
	sel et poivre, jus d'un citron

Mettre la moutarde et les jaunes d'oeufs dans un bol; mélanger le tout avec un fouet métallique. Saler, poivrer.

Ajouter le jus de citron et les fines herbes; mélanger de nouveau.

Verser l'huile, petit à petit, tout en continuant de battre avec le fouet métallique.

Ajouter quelques gouttes de jus de citron. Servir.

Salade de crevettes et de coeurs d'artichauts

(pour 4 personnes)

454 g	(1 lb) de crevettes, cuites et décortiquées
3	pommes de terre, cuites avec la peau, pelées et coupées en dés.
2	oeufs durs coupés en tranches
3	endives, lavées et asséchées
1	piment rouge émincé, blanchi dans de l'eau bouillante pendant 4 minutes
1	botte d'asperges pelées, lavées et cuites dans de l'eau bouillante citronnée et coupées en dés
175 mL	(¾ tasse) de vinaigrette
	jus de citron
	sel et poivre

Mettre tous les ingrédients de la salade dans un bol; mélanger délicatement.

Ajouter la vinaigrette; mélanger de nouveau. Servir.

Préparation de la vinaigrette

15 mL	(1 c. à soupe) de moutarde française
30 mL	(2 c. à soupe) d'échalote hachée
60 à 75 mL	(4 à 5 c. à soupe) de vinaigre de vin
175 mL	(¾ tasse) d'huile d'olive
	persil haché
	jus de citron
	sel et poivre

Mettre la moutarde, le sel, le poivre et le vinaigre dans un petit bol; mélanger le tout avec un fouet métallique. Ajouter l'échalote.

Verser l'huile, en filet, tout en mélangeant constamment avec un fouet métallique.

Assaisonner au goût. Arroser de jus de citron.

Salade de crevettes et de macaroni

(pour 4 personnes)

2	tasses de macaroni cuit
30	crevettes cuites, entières et décortiquées
2	oeufs durs tranchés
1	branche de céleri, coupée en dés
1	piment rouge émincé
½	concombre, pelé, épépiné et émincé
50 mL	(¼ tasse) de mayonnaise
15 ml	(1 c. à soupe) de persil haché
15 mL	(1 c. à soupe) de crème sure
5 mL	(1 c. à thé) de moutarde de Dijon
	jus de citron
	paprika
	feuilles de laitue, lavées et asséchées
	sel et poivre

Décorer un plat de service de feuilles de laitue. Mettre de côté.

Mettre les crevettes, les oeufs, le céleri, le piment et le concombre dans un bol. Saler, poivrer. Arroser le tout de jus de citron. Ajouter le macaroni cuit.

Ajouter la mayonnaise; mélanger le tout. Saler, poivrer. Ajouter le paprika et le persil; mélanger de nouveau.

Mettre la crème sure dans un petit bol; ajouter la moutarde et mélanger.

Verser le mélange sur les crevettes et les légumes. Rectifier l'assaisonnement et mélanger.

Placer la salade sur les feuilles de laitue. Garnir avec des rondelles de citron.

Salade de homard et d'avocat *(pour 4 personnes)*

375 mL	(1 ½ tasse) de chair de homard cuite, coupée en gros morceaux
2	avocats mûrs, pelés et émincés
1	branche de céleri, émincée
60 mL	(4 c. à soupe) de yogourt
5 mL	(1 c. à thé) de moutarde française
	jus de citron
	persil haché
	sel et poivre
	feuilles de laitue, lavées et asséchées
	oeufs durs tranchés

Mélanger le yogourt et la moutarde dans un bol. Ajouter le persil; mélanger de nouveau.

Mettre la chair de homard, les avocats et le céleri dans un bol. Ajouter le mélange de yogourt. Saler, poivrer; arroser le tout de jus de citron. Bien mélanger.

Garnir un plat de service de feuilles de laitue et y placer la salade de homard et d'avocat.

Décorer de rondelles d'oeufs durs. Servir.

Queues de homard en salade

(pour 4 personnes)

8	queues de homard
1	concombre pelé, épépiné et émincé
1	avocat mûr, pelé, coupé en deux et émincé
250 mL	(1 tasse) de sauce moutarde à l'aneth
	sel et poivre

Faire cuire les queues de homard pendant 20 minutes à la vapeur (dépendant de leur grosseur).

Égoutter les queues et les faire refroidir. A l'aide de ciseaux, découper la membrane du dessous des queues et retirer la chair délicatement.

Placer les carapaces sur un lit de laitue et replacer la chair dans les carapaces.

Mettre le concombre et l'avocat dans un bol. Assaisonner au goût.

Ajouter 45 mL (3 c. à soupe) de sauce de moutarde; mélanger le tout.

Placer le mélange au centre du plat et napper les queues de homard de sauce moutarde.

Garnir de rondelles de citron. Servir.

Préparation de la sauce moutarde à l'aneth

60 mL	(4 c. à soupe) de vinaigre de vin blanc
22 mL	(1½ c. à soupe) de moutarde de Dijon
1	gousse d'ail, écrasée et hachée
5 mL	(1 c. à thé) d'aneth haché
175 mL	(¾ tasse) d'huile d'olive
	jus de citron
	sel et poivre

Mettre le vinaigre, la moutarde, l'ail et l'aneth dans un bol; mélanger, saler et poivrer.

Verser l'huile, goutte à goutte, tout en remuant avec un fouet métallique.

Rectifier l'assaisonnement. Servir.

Salade de pétoncles et de crevettes

(pour 4 personnes)

1	concombre pelé, épépiné et émincé
1	avocat mûr, pelé, coupé en deux et émincé
24	crevettes cuites et décortiquées (la veine noire retirée)
24	pétoncles cuits
30 mL	(2 c. à soupe) de piment doux mariné, haché
1	branche de céleri, émincée
1	laitue Boston, lavée et asséchée
1	recette de vinaigrette aux oeufs
	jus de citron
	sel et poivre

Mettre le concombre, l'avocat, les crevettes, les pétoncles, le piment et le céleri dans un bol. Saler, poivrer. Arroser le tout de jus de citron.

Ajouter les ¾ de la vinaigrette; bien incorporer le tout.

Ajouter les feuilles de laitue; mélanger de nouveau. Ajouter le reste de la vinaigrette.

Servir avec des tranches de pain grillé.

Préparation de la vinaigrette

1	jaune d'oeuf
15 mL	(1 c. à soupe) de moutarde de Dijon
50 mL	(¼ tasse) de vinaigre de vin
250 mL	(1 tasse) d'huile d'olive
15 mL	(1 c. à soupe) de persil haché
1	gousse d'ail, écrasée et hachée
	jus de citron
	sel et poivre

Mettre le jaune d'oeuf dans un bol. Ajouter la moutarde; saler, poivrer et mélanger le tout.

Ajouter le vinaigre; mélanger de nouveau.

Verser l'huile, goutte à goutte, tout en remuant avec un fouet métallique.

Ajouter l'ail et le persil; mélanger et assaisonner au goût.

Salade de pétoncles, de moules et de crevettes

(pour 4 personnes)

250	mL	(1 tasse) de moules cuites
250	mL	(1 tasse) de pétoncles cuits
250	mL	(1 tasse) de crevettes cuites, décortiquées
1		boîte de coeurs de palmier, coupés en rondelles
175	mL	(¾ tasse) de vinaigrette aux oeufs
		quelques gouttes de sauce Tabasco
		jus de citron
		sel et poivre
		feuilles de laitue

Mettre les moules, les pétoncles et les crevettes dans un bol. Saler, poivrer et arroser le tout de jus de citron.

Ajouter les coeurs de palmier et la vinaigrette aux oeufs. Mélanger et assaisonner au goût.

Disposer les feuilles de laitue dans des coupes et garnir de salade de pétoncles, de moules et de crevettes.

Servir.

Préparation de la vinaigrette aux oeufs

2		jaunes d'oeufs
15	mL	(1 c. à soupe) de moutarde française
30	mL	(2 c. à soupe) de vinaigre de vin
15	mL	(1 c. à soupe) de jus de citron
125	mL	(½ tasse) d'huile d'olive
		persil haché
		sel et poivre

Mettre les jaunes d'oeufs dans un petit bol. Ajouter la moutarde, le vinaigre et le jus de citron; bien mélanger. Saler, poivrer.

Verser l'huile, en filet, tout en mélangeant avec un fouet métallique.

Assaisonner au goût. Parsemer de persil haché.

Salade de pétoncles à l'orange

(pour 4 personnes)

454	g	(1 lb) de pétoncles
2		oranges, pelées et séparées en sections
2		branches de céleri blanc, coupées en dés
20		champignons frais, lavés et émincés
1		grosse laitue Boston, lavée et effeuillée
60	mL	(4 c. à soupe) de yogourt
15	mL	(1 c. à soupe) de crème sure
5	mL	(1 c. à thé) de ciboulette hachée
30	mL	(2 c. à soupe) d'amandes effilées
		quelques gouttes de sauce Tabasco
		jus de 2 citrons
		sel et poivre

Mettre les pétoncles dans une petite casserole. Saler et arroser le tout du jus d'un citron; amener le tout à ébullition.

Retirer immédiatement la casserole du feu; laisser mijoter les pétoncles dans le liquide chaud de 2 à 3 minutes pour finir leur cuisson.

Laisser refroidir les pétoncles.

Mettre les pétoncles froids, les oranges, le céleri et les champignons dans un bol. Saler, poivrer et arroser le tout de quelques gouttes de jus de citron.

Mélanger le yogourt, la crème sure, le jus de citron et la sauce Tabasco. Ajouter la ciboulette; bien incorporer.

Incorporer le mélange de yogourt aux pétoncles. Assaisonner au goût.

Décorer un plat de service de feuilles de laitue et y placer la salade de pétoncles.

Parsemer le tout d'amandes effilées.

Servir.

Index

Poissons
Plats de résistance

Potages et soupes

Salades

La composition de ce volume
a été réalisée par
les Ateliers de La Presse, Ltée

Achevé d'imprimer sur les presses
de Laflamme et Charrier,
lithographes
en décembre 1984

IMPRIMÉ AU CANADA